Bianca

D0898506

Annie West
Remordimientos

Editado por HARLEQUIN IBÉRICA, S.A.
Núñez de Balboa, 56
28001 Madrid

© 2012 Annie West
© 2014 Harlequin Ibérica, S.A.
Remordimientos, n.º 2331 - 27.8.14
Título original: Undone by His Touch
Publicada originalmente por Mills & Boon®, Ltd., Londres.

I.S.B.N.: 978-84-687-4488-9
Depósito legal: M-14916-2014
Editor responsable: Luis Pugni
Impresión en CPI (Barcelona)
Fecha impresion para Argentina: 23.2.15
Distribuidor exclusivo para España: LOGISTA
Distribuidor para México: CODIPLYRSA
Distribuidores para Argentina: interior, BERTRAN, S.A.C. Vélez
Sársfield, 1950. Cap. Fed./ Buenos Aires y Gran Buenos Aires,
VACCARO SÁNCHEZ y Cía, S.A.

Prólogo

NO PUEDES salvarme! –el grito ronco resonó en los oídos de Declan mientras volvía a mirar a Adrian, que colgaba varios metros más abajo en el vacío, sujeto de la misma cuerda que él–. ¡Esto se va a romper!

Estaban suspendidos a varios centenares de metros de altura en aquel solitario cañón. Se estaba levantando viento y los nervios de su hermano habían saltado. Ya Adrian, presa del pánico, había desenganchado una de las pitones que los mantenían anclados a la pared.

–Aguanta –jadeó Declan. Le martilleaba el pecho como consecuencia del último esfuerzo que había hecho por izarlo.

Estirando el cuello, alzó la mirada a la cornisa de la que habían caído. Una lluvia de gravilla le cayó en la cara. La garganta le ardía con cada respiración. Se arrepentía de haber hecho aquella salida con su hermano. Había esperado que sirviera para estrechar su relación, para lograr que Adrian se abriera mientras escalaban. Pero en ese momento era la supervivencia de ambos la que estaba en juego.

–Aguanta, Ade. Todo saldrá bien.

–¿Bien? –Adrian alzó la voz–. No me mientas, Declan.

–Casi lo conseguí la última vez. A la tercera va la vencida. Ya verás.

Apretando la mandíbula, agarró la cuerda y tiró de ella. Sofocó un grito cuando la cuerda le laceró las manos ya en carne viva. El cuello y los hombros se le agarrotaron de dolor mientras soportaba el peso combinado de los dos. Era como si la columna vertebral fuera a rompérsele de la tensión.

–Nunca lo conseguirás. Es imposible. Y... ¿sabes? Tampoco sería tan malo –minutos después, Adrian volvió a hablar, con su voz apenas audible por encima del estruendo de la sangre de Declan–. Una caída será un final rápido, al menos.

–No... no te vas a caer.

–Ya he pensado en ello. Un volantazo delante de un camión circulando de frente y... ¡se acabó!

Las palabras quedaron casi ahogadas por el frenético latido del corazón de Declan y el desgarrador dolor de sus manos. El sudor le nublaba la vista.

–Tampoco hay gran cosa por lo que vivir.

La voz de Adrian era tan débil que Declan no sabía si se la había imaginado. ¿Sería capaz el dolor de hacerle alucinar?

–La he perdido. Ella quiere a alguien rico y triunfador como tú, no a un perdedor como yo. ¡Me ha abandonado!

–¿Qué?

Necesitaba parar antes de que se le descoyuntaran los brazos. El mundo parecía haberse reducido a la cuerda de la que estaba tirando. Un estremecimiento de angustia lo recorrió al escuchar el tono de su hermano, pero estaba demasiado exhausto para responder. El viento los hacía balancearse. Sintió el salado sabor de la sangre en los labios. Dos metros más...

–No puedo seguir. Lo he intentado, pero ella es la mujer de mi vida y me ha traicionado. Esto es lo mejor.

–¿Lo mejor? –pese al sudor que bañaba el cuerpo tostado por el sol de Declan, un dedo helado le recorrió la nuca–. ¿Ade?

Estirando los entumecidos músculos del cuello, consiguió mirar hacia abajo. Unos familiares ojos grises se encontraron con los suyos. Esa vez no reflejaban pánico, sino una extraña calma que le desgarró el corazón.

–De esta manera, uno de los dos sobrevivirá. Yo no puedo seguir sin ella.

Declan contuvo la respiración, horrorizado, al ver que Adrian había empezado a cortar la cuerda que los unía.

–¡Adrian! ¡No!

–Adiós, Declan.

De repente, el peso que tiraba de sus hombros desapareció. No hubo ningún grito. Tuvo la sensación de que transcurría una eternidad hasta que oyó un apagado ruido de ramas, al fondo, y perdió de vista a su hermano.

Capítulo 1

CHLOE sentía blando y suave el montón de toallas que portaba mientras abría la puerta del cuarto de lavado y se dirigía a la caseta de la piscina. Bajó la cabeza y aspiró su olor a lavanda y a sol. Cuando hacía buen tiempo, solía utilizar el tendedero en lugar de la secadora. Concentrarse en detalles tan pequeños y retomar su rutina la estaba ayudando a superar aquella primera y difícil mañana de vuelta en Carinya.

Se negaba a dejarse aterrorizar por los recuerdos. Su trabajo era demasiado importante y necesitaba más que nunca de una seguridad económica. Además, ya no tenía nada que temer. Era por eso por lo que había ignorado la sensación de angustia que la asaltó cuando entró en la habitación del ama de llaves, la suya, y recordó la última mañana que había estado allí. Y también cuando empezó a trabajar y se imaginó una presencia de cabello oscuro acechándola en las sombras, como había hecho tantas veces antes. Pero aquello pertenecía al pasado. Él se había ido para siempre.

Nada más doblar la esquina de la casa, aminoró el paso. Podía oír a alguien en la piscina. La vista de una cabeza emergiendo a cada brazada le aceleró el corazón. No podía dar crédito a lo que estaba viendo. «¡Pero si está muerto!». ¡Eso era imposible! Consternada, lo vio ejecutar un perfecto volteo y seguir nadando. Ejecutaba con la mayor facilidad del mundo la extenuante brazada de mariposa mientras su largo cuerpo surcaba el agua. Chloe se apoyó en la pared con un nudo en la garganta, intentando asimilar lo que estaba viendo.

«Pero si está muerto... muerto». Las palabras resonaban en su cerebro como un asombrado mantra. Estaba viviendo una pesadilla, presidida por el hombre al que tanto había llegado a temer. Otro volteo y esa vez cambió a estilo libre, acelerando como si tuviera que batir un récord. Solo entonces los estupefactos ojos de Chloe se sobrepusieron al recuerdo y detectaron algunas anomalías. Aquel hombre parecía más grande. Nadaba también de una forma diferente, como propulsado por una invisible fuerza. Era como una máquina perfecta: cada brazada era un ejemplo de fluidez y economía de movimientos.

Ni siquiera en ese momento, cuando ejecutó otro volteo y empezó otro largo, redujo el ritmo. «Resuelto, decidido»: esas fueron las palabras que le vinieron a Chloe a la mente. El hombre que recordaba había sido muchas cosas, pero decidido no. Al menos hasta que se fijó en ella. El nadador llegó al otro lado de la piscina y salió rápidamente del agua. La luz del sol doró su tez brillante y bronceada: desde los poderosos músculos de sus brazos hasta la prieta curva de sus nalgas. Se quedó sin aliento mientras su aturdido cerebro registraba su completa desnudez, al tiempo que le aseguraba que no podía ser él. Porque la forma de la cabeza era diferente. La altura. La anchura. Y aquella impresionante virilidad.

Se giró a medias en ese momento y ella desvió la mirada, pero no antes de que descubriera la larga cicatriz que le recorría todo un muslo. El alivio la había dejado mareada. La cordura volvió con un rubor de vergüenza cuando se dio cuenta de que se lo había quedado mirando fijamente. Apresurándose a apartarse de la pared, se encaminó con energía hacia la caseta de la piscina.

–¿Quién anda ahí? –inquirió él con su voz profunda,

sin volverse. Recogió la toalla de una tumbona cercana y se la ató a la cintura con la indiferencia de un hombre perfectamente cómodo con su desnudez.

Reacia, Chloe se desvió hacia la pérgola cubierta por la hiedra donde él seguía esperando, mientras se ponía sus gafas de sol. No era aquella precisamente la manera que habría elegido de conocer a su patrón. Se suponía que las amas de llaves tenían que ser discretas y no vulnerar la intimidad de su jefe. La imagen de su espléndido cuerpo volvió a aparecer ante sus ojos al tiempo que experimentaba un calor poco habitual. Se detuvo, ganando tiempo para identificar aquella sensación que hacía años que no experimentaba. Cuando lo hizo, la sorpresa la dejó sin habla.

—Estoy esperando.

Chloe dio un paso adelante. No era el momento de detenerse en el hecho de que acababa de sentir una chispa de excitación por primera vez en seis años. A la vista de su jefe desnudo.

—Soy su ama de llaves, Chloe Daniels —esperó a que se volviera. Cuando finalmente lo hizo, Chloe sostuvo el montón de toallas con una mano y le tendió la otra. Intentó olvidar la manera en que se lo había quedado mirando embobada, como una adolescente sedienta de sexo.

Se plantó ante ella, cubierto únicamente con la toalla y las gafas de sol, exudando un aire de autoridad. Chloe tuvo que alzar la cabeza para mirarlo a la cara. En ese momento, tan cerca como estaba de él, se dio cuenta de que Declan Carstairs era más grande, más fuerte, más intimidante que el hombre al que había conocido y con quien lo había confundido en un primer momento. Solo el color de su pelo y la elegancia de su cuerpo eran los mismos: un rasgo de familia.

Tenía una sombra de barba en la mandíbula que le daba un cierto aspecto de pirata, más que de magnate de los negocios. Se lo imaginó de repente a bordo de un velero de altos mástiles, con una mujer a su lado. Quizá había sido la cicatriz que acababa de descubrir en su rostro lo que había conjurado aquella imagen. Larga y todavía no blanqueada por el tiempo, le atravesaba una mejilla para curvarse hacia un ojo. Se estremeció cuando pensó en la otra gran cicatriz que le recorría el muslo.

–No nos conocemos –dijo con el eficiente tono profesional de ama de llaves que había perfeccionado con los años–. He estado...

–Fuera –se la quedó mirando, pero sin corresponder a su sonrisa, ceñudo.

Chloe no podía sentirse más torpe e incómoda, con la mano tendida todavía hacia él. Cuando resultó evidente que no se la iba a estrechar, dejó caer el brazo, decepcionada. Quizá la arrogancia fuera otro rasgo de familia.

–Una emergencia familiar, ¿verdad? –le preguntó él, sorprendiéndola.

No había esperado que estuviera tan informado, sobre todo teniendo en cuenta que no se habían visto antes. Había sido su ayudante personal quien la había contratado, explicándole que su jefe solía ausentarse durante varios meses cada vez. Carinya era el refugio familiar en las espectaculares Montañas Azules desde hacía generaciones, pero él vivía a un par de horas al este de Sídney, cuando no estaba viajando.

–Así es, señor Carstairs. Un asunto familiar.

No se había detenido a pensar en nada la mañana en que abandonó la casa. Simplemente hizo las maletas y tomó el primer tren. Fue solo después cuando, por una extraña casualidad del destino, se había enfrentado no ya con una crisis, sino con dos. Al menos una de ellas ya no existía.

–¿Pero ahora sí podremos contar con su presencia

permanentemente? –él arqueó una ceja por encima de sus elegantes gafas de diseño.

–Por supuesto. Llegué hace un par de horas. Estaré a su disposición si me necesita –Chloe se obligó a sonreír ante su severa expresión.

Si había esperado un gesto de simpatía por su parte, volvió a llevarse una decepción. Su actitud seria debería haberla puesto nerviosa. Pero Chloe estaba habituada a resistir y a demostrarse una y otra vez de lo que era capaz. Aguantó su mirada, intentando descifrar su expresión. La mayoría de la gente solía dar pistas no verbales sobre sus pensamientos, pero ese no era el caso de Declan Carstairs. Quizá fuera por eso por lo que había sabido invertir tan bien la fortuna que heredó, por su habilidad a la hora de esconder sus cartas. Y, sin embargo, había algo más. ¿Era desaprobación lo que veía en aquella boca severamente apretada? ¿Enfado, incluso? Palideció al recordar la manera en que se lo había quedado mirando, clavando los ojos en su cuerpo desnudo. ¿La habría sorprendido mirándolo? Un rubor le subió por el cuello y las mejillas.

–Lamento haberlo interrumpido hace un momento. No sabía que estaba usted en la piscina –«ni que estuviera desnudo», añadió para sus adentros–. El señor Sarkesian dejó un mensaje diciendo que los dos se pasarían la mañana trabajando en su despacho y que después ya me daría instrucciones. Nunca fue mi intención...

–David ha tenido que ausentarse por un asunto inesperado –la interrumpió él, impaciente–. ¿Algo más?

–No. Me disponía a llevar estas toallas a la caseta de la piscina. Si desea cualquier cosa...

Vio que sacudía la cabeza. Y se esforzó por no quedarse mirando fijamente las diminutas gotas de agua que resbalaban por la sólida musculatura de su pecho.

¡Lo estaba haciendo de nuevo! Ella no se quedaba mirando embobada a los hombres atractivos. Y, sin embargo, la visión del cuerpo desnudo de su jefe le había provocado sensaciones durante largo tiempo olvidadas.

–¿Y bien? ¿A qué está esperando, señorita Daniels? –la negra ceja volvió a enarcarse–. No quiero entretenerla más.

–Por supuesto, señor Carstairs –intentando sobreponerse al disgusto y a la incomodidad, se volvió para marcharse. Caminó a paso tranquilo, proyectando una calma que estaba lejos de sentir.

Porque seguía aturdida de asombro. Primero había sido el horror de pensar que el hombre que había protagonizado sus pesadillas había vuelto. Y luego la profunda impresión que le había producido conocer a Declan Carstairs. A pesar de su cicatriz, aquel hombre tenía un físico impresionante. Y ella se había quedado horrorizada de descubrir su propia reacción: habían pasado años desde la última vez que se había excitado sensualmente. Precisamente la habían acusado de frigidez sexual, de ser una especie de princesa de hielo.

¿Y ahora sentía una chispa de atracción por su jefe? ¡Imposible! En sus veintisiete años de vida solo había existido Mark, solo un hombre capaz de hacerle sentir deseo. Resultaba impensable que Declan Carstairs, rico, implacable y desaprobador, pudiera resucitar aquellas sensaciones. Apretando los labios, se concentró en retirar las toallas usadas de la caseta de la piscina.

Se dirigía ya de regreso a la casa cuando el sonido de un cristal al romperse hizo que se volviera hacia la pérgola. Vio a Declan Carstairs de pie, paralizado, con un brazo extendido hacia la mesa. El suelo estaba lleno de cristales del vaso que acababa de romperse. Fue su extraña inmovilidad lo que llamó su atención, que no el vaso roto tan peligrosamente cerca de la piscina.

–No pasa nada, señor Carstairs, no se moleste. Voy a buscar el recogedor y la escoba –Chloe se apresuró a entrar en el cuarto de lavado, dejó las toallas y recogió lo que había ido a buscar.

A su regreso, extrañamente, su jefe no se había movido. Como si estuviera esperando para asegurarse de que hacía bien su trabajo. Había trabajado antes para ricos: algunos exigentes y otros tan relajados que ni siquiera habían reparado en su presencia. Pero ninguno había cuestionado su capacidad para realizar una tarea tan sencilla. Se agachó ante él para recoger los cristales.

–Solo será un momento –y, sin embargo, sus movimientos habitualmente rápidos parecieron hacerse lentos, pesados. Procuró no mirar aquellos fuertes y nervudos pies plantados en las baldosas, con las piernas bien separadas. Resultaba ridículo que los pies desnudos de un hombre le parecieran tan sensuales.

–Gracias, señorita Daniels.

Chloe reprimió una carcajada. Tanta formalidad cuando ella tenía la mente ocupada con inquietantes imágenes de su cuerpo desnudo. Menos mal que no podía leerle el pensamiento.

–Creo que ya casi está... –apretando los labios, se concentró en localizar aquellas esquirlas de vidrio que se habían alejado más que el resto–. ¡No! ¡Cuidado!

Demasiado tarde vio que había bajado el talón justo sobre un cristal, al volverse. Lo oyó pronunciar un juramento por lo bajo mientras las baldosas se teñían de rojo.

–Espere, hay otro –Chloe se apresuró a retirar el último cristal–. Ya está. Ya puede sentarse en la silla.

Seguía irguiéndose ante ella como un dios de bronce. El talón le seguía sangrando. Finalmente, dijo:

–Quizá podría usted ayudarme, señorita Daniels.

Frunciendo el ceño, Chloe se levantó, dejó la escoba y el recogedor a un lado y se acercó a él. ¿Qué querría que hiciera? Seguro que tendría bastantes fuerzas para recorrer la corta distancia que lo separaba de la silla.

–¿Quiere apoyarse en mí?

Algo parecido a la furia cruzó el rostro de él.

–No es para tanto –pronunció con los dientes apretados–. Solo déme su mano.

Consternada, obedeció. Le tomó la mano, absorbiendo el calor y la fuerza de sus dedos encallecidos por el trabajo. Registró también una red de cicatrices en su palma. Un estremecimiento le subió por el brazo y el hombro, hasta erizarle el vello de la nuca. La tensión se hizo insoportable mientras esperaba a que hablara.

Tenía los ojos a la altura de su boca y observó, fascinada, cómo sus sensuales labios se contraían en una mueca.

–Necesitará sentarse para que le pueda sacar el cristal. No le dolerá mucho.

Su risotada, ronca y vibrante, hizo que Chloe alzara la mirada hasta sus impenetrables gafas oscuras.

–El dolor no me preocupa.

–Si no es el dolor –Chloe frunció el ceño–, ¿entonces qué...?

Declan soltó un lento suspiro mientras sus dedos se tensaban sobre los de ella. Cuando volvió a hablar, había resignación y una latente furia en sus palabras.

–Solo hágame el favor de guiarme hasta la silla, ¿quiere?

–¿Guiarlo...?

–Sí, maldita sea. ¿Acaso no se ha dado cuenta de que está hablando con un hombre ciego?

Capítulo 2

EL SILENCIO parecía vibrar con la sangre que le atronaba en los oídos. Contuvo el aliento, a la espera del inevitable comentario compasivo. Se moría de ganas de salir corriendo. Él no quería compasión. No quería compañía. Pero no podía permitirse el lujo de arreglárselas solo. Probablemente terminaría con un pie lleno de cristales o con un ojo morado de haberse estrellado contra la pérgola.

Casi ni le importaba. Y, sin embargo, todavía le quedaba suficiente orgullo como para no querer hacer un completo ridículo ante ella. Ya lo hacía bastante cuando estaba solo.

—Por supuesto —murmuró ella—. Le pido disculpas. No me había dado cuenta de que no podía usted ver.

Su tono era el mismo de antes: tranquilo y tajante, sin un ápice de compasión, lo cual lo sorprendió por un momento. Entonces ella alzó un brazo, se lo pasó por el torso y lo sostuvo por debajo de la axila.

—Si se apoya en mí, será más fácil.

Habría podido parecer una enfermera, con aquel gesto tan práctico. Pensó que debería comportarse de manera razonable y sentirse agradecido por aquella pragmática actitud suya. Pero la suave presión de su seno contra su costado, y de su cadera contra su muslo, unido al súbito aroma a vainilla y a sol cuando su pelo le hizo cosquillas en el pecho desnudo, lo pusieron de un humor muy poco razonable. ¿Cuánto tiempo había pasado desde la última vez que se había acercado tanto a una mujer?

–¡No! –Declan liberó su brazo, apartándola para no sentir el sensual contacto de aquellas formas tan femeninas–. Puedo hacerlo solo. Limítese a guiarme –dijo, y cerró los dedos de su otra mano sobre la de ella, cada vez más frustrado.

–Muy bien.

En silencio, se adelantó para guiarlo. Declan apoyó el peso sobre su pie sano y avanzó el otro de puntillas. Ella no vaciló, y tampoco le preguntó si podía seguirla. Había tardado semanas en conseguir que David dejara de hacer eso, y David era el mejor ayudante personal que había tenido nunca.

–Ya está. La silla se encuentra a su izquierda –le acercó la mano para que tocara el metal–. Aquí está el brazo.

No dijo más, sino que esperó a que él maniobrara y se sentara en la silla.

–Si me hace el favor de esperar un momento, iré a buscar el botiquín –le comunicó, y se marchó, dejándolo solo.

A esas alturas debería haberse acostumbrado ya a aquella sensación de soledad. A veces era tan intensa que se transformaba en un miedo cerval. Un terror capaz de despertarlo en mitad de la noche, con el corazón acelerado.

Se recordó que la soledad era lo que siempre había ido a buscar a las Montañas Azules. Una pausa en el frenético ritmo que le imponía su habitualmente apretada agenda. O que le había impuesto hasta ese momento, porque eso se había acabado. Había tenido que delegar sus responsabilidades. La furia, su constante compañera, volvió a rugir en sus venas... hasta que se recordó que él había sido el afortunado. El único que había tenido suerte.

Al instante se vio asaltado por la habitual nube de culpabilidad y arrepentimiento. Se le encogió el estómago. Debería sentirse agradecido de haber sobrevivido. Y, sin embargo, seguía sin poder convencerse a sí mismo de ello. Su fracaso hacía todavía más insoportable aquella prisión de oscuridad. Si hubiera podido...

–Ya estoy aquí. He traído el botiquín –de nuevo aquella voz, clara y tranquila.

–Veo que no ha tenido problema en encontrarme –el sarcasmo era una pobre recompensa para su ayuda, pero la bestia enjaulada que gruñía y rabiaba dentro de sí clamaba por su liberación. Los medios que habitualmente había utilizado para liberar su exceso de energía, el esquí, la escalada y el sexo, le eran ahora negados.

Suponía que el sexo era posible. Pero no podía soportar la idea del sexo por compasión. ¿Qué mujer lo desearía ahora? Se negaba a convertirse en el objeto de piedad de nadie. Incluso los médicos jugaban a aquel juego, mientras se aferraban a la posibilidad de que recuperara la vista algún día, pero sin garantizarle nada.

–Tiene que dolerle el pie.

La oyó dejar algo sobre las baldosas del suelo.

–¿Tan segura está? –se había cansado de que todo el mundo en el hospital le dijera lo que tenía que hacer y cómo debería sentirse. Hasta que exigió que le dieran el alta y se fue allí para recuperarse en privado.

–Es una suposición. Está usted de mal humor, pero le concedo el beneficio de la duda: entiendo que su tono está justificado.

Para su propia sorpresa, esbozó una sonrisa divertida. No recordaba haber sonreído desde el accidente.

–¿Dónde está su compasión por un pobre inválido?

–Probablemente en el mismo lugar que sus buenas maneras.

Se interrumpió y le levantó cuidadosamente el pie para apoyarlo sobre algo mullido. ¿Una toalla sobre su regazo?

–Además, usted no es ningún inválido.

–¿Y cómo llama a esto, entonces? –se señaló las gafas.

–Que no pueda ver no significa que sea un inválido. El hombre al que vi nadando hace unos minutos se encontraba en mejor forma que la mayoría de la gente que conozco. Puede que esto le duela un poco.

A esas alturas, Declan estaba acostumbrado al dolor. Volver a caminar con aquella pierna lesionada había exigido de su persona una enorme determinación.

–La mayoría de la gente puede ver lo que hace.

–¿Está usted buscando que le compadezca?

–¡No! No es eso. Es solo que...

Maldijo para sus adentros. No sabía lo que quería. Solo que estaba harto de que gente bienintencionada le recordara que tenía que ser positivo.

–Bien –ella le puso algo en el talón–. Esto es solo para frenar la hemorragia. No creo que necesite puntos, pero espero que deje de sangrar antes de que se lo vende.

–Es usted una mujer dura, ¿eh? –por primera vez se preguntó qué clase de persona sería su ama de llaves–. ¿Está intentando demostrarme algo?

–Solo estoy intentando ayudarlo para que no se le infecte el pie.

Declan no captó ni el menor asomo de impaciencia en su tono controlado. Por un instante le recordó a su profesora de párvulos, capaz de acallar a los pequeños más revoltosos con una simple mirada.

–¿Por qué se sonríe?

–¿Estaba sonriendo? –Declan volvió a apretar los labios.

–Puede que esto le duela.

Bien. Eso lo ayudaría a no distraerse. Sintió una punzada de dolor cuando ella le aplicó el antiséptico.

–¿Qué aspecto tiene usted, señorita Daniels?

Por primera vez, la sintió vacilar. «Interesante», pensó.

—El normal.

—Más alta que la media.

—¿Cómo lo sabe?

—Lo supe cuando me apoyé en usted. ¿Qué más?

—¿Es necesario que hablemos de esto?

—Complázcame. Imagínese que se trata de la entrevista laboral que nunca llegué a hacerle.

—Tengo el pelo claro, los ojos claros y la tez pálida.

—¿Pecas? —ignoraba por qué se molestaba en hacer eso cuando no podía ver su reacción. Pero, a pesar de sus tranquilas respuestas, Declan sentía su desaprobación. Estaba tan cansado de su propia compañía y de sus limitaciones que incluso eso era preferible a la soledad.

—Sí. Unas pocas.

Alcanzó a detectar una ligera ronquera en su voz antes de que cerrara el botiquín. Se levantó.

—Gracias. Y ahora, si me lleva hasta el extremo de la pérgola, desde allí ya me las arreglaré yo solo.

Chloe se detuvo en el umbral de la vasta biblioteca, que había sido equipada con un ordenador de última generación, instalado en la antigua mesa de madera de cedro. Estaba a punto de llamar a la puerta cuando se detuvo al oír la voz de Declan Carstairs.

—De acuerdo, David. No hay otro remedio, tendrás que quedarte allí. No te preocupes —se pasó una mano por el pelo en un gesto de frustración—. No, no me envíes a ninguno de la plantilla. No quiero a nadie aquí mirándome embobado... —dejó caer los hombros—. No importa.

Se volvió en ese momento y ella vio su expresión. Parecía terriblemente cansado. Desesperado, casi. El pensamiento la sorprendió. Hacía apenas una hora le había parecido tan decidido y arrogante...

–No, esperaré hasta que tú...

Se interrumpió de golpe y alzó la cabeza como si olisqueara el aire, para girarla inexorablemente hacia el lugar exacto donde ella estaba esperando, en el umbral. Sus ojos oscuros se clavaron en ella con enervante intensidad. Aun sabiendo que no podía verla, Chloe tuvo que resistir el impulso de alisarse la falda y la blusa, o de arreglarse el pelo.

–Llámame después, David, para tenerme al tanto –cortó la llamada y se acercó a ella. ¿Era una ilusión o su mirada conectaba directamente con la suya?–. Señorita Daniels. ¿Cuánto tiempo lleva aquí?

¿Cómo podía haberla descubierto? No había hecho el menor sonido.

–No mucho. Iba a llamar, pero no quería interrumpir su conversación.

–En el futuro, avíseme inmediatamente de su presencia. Dada mi... discapacidad, me gusta saber cuándo no estoy solo.

–Sí, señor.

–Sobre todo cuando estoy hablando de negocios. Tengo una negociación particularmente delicada entre manos en este momento y prefiero guardar discreción sobre los detalles. ¿Entendido?

Chloe frunció los labios, reprimiendo su indignación. ¿Pensaría acaso que era una especie de espía industrial?

–Por supuesto –molesta por su presunción de que había intentado escucharlo a hurtadillas, se apresuró a explicarse–: Venía a preguntarle si deseaba comer pronto.

–¿Qué es lo que tiene preparado para mí? No, déjeme adivinarlo. Huevos pasados por agua. O sopa. La sopa es inevitable.

–Si le gusta la sopa, se la puedo preparar.

–No, no me gusta –gruñó, acercándose a ella hasta ocupar casi todo su campo de visión–. Estoy harto de comida de hospital y harto de que se preocupen por mí. El ama de llaves que la empresa para la que trabaja me envió durante su ausencia pensaba que necesitaba constantes cuidados para recobrar las fuerzas. De haberse salido con la suya, no habría comido más que tortillas y cuajadas –sacudió la cabeza, alzando una mano para frotarse la barbilla con la sombra de barba.

De manera inconsciente, Chloe siguió el movimiento con los ojos para recorrer luego la línea de su poderoso cuello. No se había abrochado la camisa, que colgaba suelta, revelando su piel dorada y salpicada de un oscuro vello. Perdió el aliento cuando lo recordó saliendo de la piscina: desnudo, húmedo y viril. Se le secó la garganta. Horrorizada al descubrir que su mirada había bajado a lo largo de la fina tira de vello que se perdía en la cintura de sus tejanos, la alzó rápidamente hasta su rostro.

–Eh... yo no había pensado en términos de... hacerle recobrar sus fuerzas. Para la comida, había planeado hacerle unas hamburguesas de pollo *tikka-masala* con *raita* de pepino. Pero si no le gusta...

–Suena perfecto. De repente me ha entrado un hambre voraz.

Por un momento, la sombra de una sonrisa bailó en sus labios y Chloe tuvo una fugaz imagen del aspecto tan irresistible que ofrecería cuando estuviera de buen humor. Si eso llegaba a producirse alguna vez.

–Y además es usted inteligente –murmuró él–. Toda una bendición para un ciego.

Aquella irónica observación la deprimió. ¿Qué mal había en intentar tomar en consideración sus limitaciones, en pensar en sus dificultades a la hora de comer un plato que no podía ver? Estaba claro que su jefe era franco hasta la grosería, gruñón y descortés. No se parecía en nada al seductor y zalamero de su hermano. Un escalofrío le recorrió la espalda. Chloe sabía bien con qué hermano prefería batallar. Declan Carstairs podía ser un hombre arrogante, pero...

—Tendrá lista la comida dentro de media hora.

—Bien —él se volvió, dio tres pasos y bajó la mano a una esquina del escritorio como para asegurarse de que estaba en el lugar correcto.

Chloe experimentó una instantánea punzada de compasión mientras pensaba en lo duro que debía de ser para un hombre tan activo acostumbrarse a un mundo que no podía ver. Quizá su mal genio fuera comprensible.

—Antes de que se retire, señorita Daniels, dígame una cosa, firmó usted una cláusula de confidencialidad en su contrato de trabajo, ¿verdad?

—Así es.

—Entonces, será consciente del severo castigo que entraña revelar información privada sobre cualquier cosa que vea u oiga durante el transcurso de su trabajo.

Chloe inspiró profundamente, diciéndose que él estaba en su perfecto derecho de querer asegurarse bien. No era algo que tuviera que ver con su integridad personal.

—Lo soy —aun así, cerró los puños.

—Bien. Téngalo presente. Porque no vacilaré en denunciar a cualquier empleado que traicione mi confianza si, por ejemplo, cualquier detalle sobre este contrato en particular o cualquier información personal sobre mi vida apareciera en la prensa.

Aquello la indignó. ¿Desconfiaba de todos sus empleados por principio o solamente de ella? Aquella frágil corriente de simpatía que había sentido hacia él se marchitó de golpe. Ya tenía suficientes preocupaciones con la salud de Ted y con los esfuerzos que estaba teniendo que hacer para costear su tratamiento de rehabilitación.

–Ya he trabajado antes para gente famosa, señor Carstairs. Gente acosada por los paparazzi cada vez que salían de casa. Y ninguno de ellos ha tenido la menor queja de mi discreción.

–¿De veras? –él enarcó una oscura ceja en un gesto provocativo.

–Así es. Y ahora, si me disculpa, señor Carstairs, voy a prepararle la comida.

Chloe se sumergió en la rutina de mantener la casa en perfectas condiciones. Era un edificio extenso, magnífico, que databa del siglo XIX. Su característica favorita era la ancha veranda que daba a los bien cuidados jardines, que acababan a su vez en un cortante que caía sobre el valle. Era un placer trabajar allí. Sobre todo cuando contaba con el ala añadida de la moderna cocina y el alojamiento del ama de llaves.

Le encantaba aquella casa antigua y elegante, y no le importaba tener que dedicar tanto tiempo a su cuidado. Eso le permitía de paso evitar el despacho, enclavado en un rincón, donde Declan Carstairs se pasaba el tiempo. De cuando en cuando, al atravesar el vestíbulo, oía su voz hablando por teléfono o charlando con su ayudante, David Sarkesian, que había regresado de Sídney. Y cada vez que ocurría eso apresuraba el paso, no fuera a acusarla de escuchar a escondidas. Su insinuación todavía le molestaba.

Como le molestaba también que le gustara tanto escuchar su voz. Era demasiado consciente, en el aspecto sexual, de su presencia. Lo que le recordaba que, desmintiendo todo lo que había aprendido durante los seis últimos años, su libido no había muerto con Mark. Y ojalá hubiera muerto, porque no necesitaba para nada aquella ardiente sensación que se apoderaba de su estómago cada vez que Declan tocaba su mano accidentalmente, al ir a alcanzar su plato. Incluso disfrutaba de las contiendas verbales que parecían haberse convertido en una rutina. Su patrón nunca dejaba pasar un encuentro con ella sin desafiarla de alguna manera, como si quisiera provocarla. Al menos eso la ayudaba a no obsesionarse demasiado con los recuerdos de la última vez que había estado en aquella casa, cuando el trabajo de sus sueños se había convertido en una pesadilla.

–Eso pertenece al pasado –le dijo a su imagen en el espejo del baño, que estaba limpiando–. Tienes que olvidarlo.

Lo cual era más fácil de decir que de hacer, cuando fragmentos de aquella pesadilla todavía la asaltaban por las noches. Era por eso por lo que se había obligado a volver allí, a la antigua habitación de Adrian Carstairs. Porque siempre era preferible enfrentarse al pasado. Eso era algo que había aprendido años atrás, cuando perdió a Mark. El dolor y la sensación de injusticia que le había producido su muerte habían sido tan fuertes que se había quedado como bloqueada, aferrada a una vida que ya no existía. Solo cuando asumió el devastador golpe pudo volver a mirar por fin hacia el futuro.

–El pasado es pasado –dijo mientras pasaba un paño por el lavabo.

Cuando perdió a Mark, aquellas palabras habían sido un lamento. Pero en ese momento la sensación que le producían era de alivio, porque la aterradora obsesión de Adrian Carstairs ya no existía. Por mucho que lamentara su muerte, la sensación predominante era de libertad.

Recogió sus útiles de limpieza y se volvió... para chocar contra un pecho masculino. Desnudo.

Cuando Declan cerró los brazos instintivamente sobre ella, sintió su figura suave, cálida y flexible. Lo inesperado de aquel contacto lo dejó impactado, pero un segundo después su cuerpo reaccionó de la manera previsible. Porque desde bastante antes del accidente no había estado con ninguna mujer.

Disfrutaba demasiado de la sensación de su mano sobre su pecho desnudo. O de la caricia de su aliento tan cerca de su cuello.

—La señorita Daniels, supongo —se obligó a hablar.

—Señor Carstairs, no esperaba encontrarlo aquí.

Detectó un ligero jadeo en su voz: eso le gustaba. Como le gustaba la sensación de aquellas firmes y tentadoras curvas en contacto con su cuerpo. ¿Aquella era Chloe Daniels, su pragmática ama de llaves de lengua afilada? Una familiar punzada de frustración lo asaltó: impaciencia por no poderla ver. Furia contra su propia incapacidad. Una vez más, maldijo su ceguera.

—Yo tampoco esperaba encontrarla aquí. Me pareció escuchar voces.

La ahogada voz que había escuchado procedente de la antigua habitación de Adrian le había producido el efecto de un mazazo. Había dejado caer la camisa que acababa de quitarse para dirigirse apresuradamente hacia allí, con todos los nervios en tensión.

—Estaba hablando conmigo misma —sonaba más desafiante que defensiva. Aquello lo dejó intrigado.

—¿De veras?

—Lamento haberle molestado. Estaba haciendo una limpieza rápida.

—Nadie volverá a usar esta habitación —había perdido

el gusto por la compañía a partir del día en que murió su hermano.

–Lo comprendo –dijo Chloe, y añadió en voz baja–: Siento lo de su hermano, señor Carstairs.

–Gracias –repuso secamente, bajando las manos.

Volvió a asaltarle la culpabilidad: él estaba allí, vivo, experimentando además un interés sexual por aquella mujer, cuando Adrian estaba muerto. Le había fallado a su hermano pequeño. Debió haber sido capaz de detenerlo. Le dio un vuelco el estómago. Habían estado muy unidos, pese a la distancia geográfica que en tiempos recientes los había mantenido separados. Él había sido el mayor sostén de su hermano, el único en quien Adrian se había apoyado cuando sus padres habían estado demasiado ocupados con sus negocios y sus obras de beneficencia. Pero eso no contaba ya para nada. Lo único que importaba era aquel último e irrevocable fracaso.

¿Cómo podía haberse dejado persuadir por las falsas y optimistas seguridades que le había dado su hermano? Debió haber ido antes, por muy ocupado que hubiera estado en aquella fase vital de su nuevo proyecto. ¿Cómo podía no haber sabido que Adrian se hallaba en tal estado de desesperación?

–¿Desea algo más, señor Carstairs?

Declan se pasó una mano por su cabello despeinado. Deseaba efectivamente algo más... algo que lo distrajera. El trabajo no le proporcionaba consuelo, no servía para aliviar el peso de los remordimientos. Como tampoco la búsqueda de la mujer que había manipulado a su hermano pequeño, para luego abandonarlo cuando se enteró de que se había arruinado. Aquella traición había empujado a Adrian al suicidio. Cualquier duda que Declan hubiera podido tener sobre la culpabilidad de aquella mujer había quedado despejada por la nota garabateada que David había encontrado en su escritorio. Tan pronto como su ayudante reconoció la letra de Adrian se lo hizo saber a Declan, que insistió en que le leyera la nota en voz alta.

Aquellas palabras habían quedado grabadas en la memoria de Declan: las desesperadas palabras que confirmaban que la misteriosa amante de Adrian, la mujer con la que se había estado viendo durante aquellas últimas semanas, lo había empujado al suicidio. Y, sin embargo, su investigador privado no había encontrado la menor pista sobre su identidad. ¿Cómo podía haberse desvanecido de esa manera?

Apretó los labios. Adrian siempre había sido el más sensible de los dos, el más vulnerable. Declan se sentía impotente, incapaz de encontrar a la mujer que había destruido a su hermano y de obligarla a enfrentarse a lo que había hecho. Sentía odio hacia sí mismo, y también hacia la mujer de cabello rubio rojizo y ojos verdes de la foto que su hermano le había mostrado en una ocasión, todo orgulloso. Una foto íntima, que él le había sacado en la cama. En la imagen la mujer yacía con una actitud de abandono, como saciada después de haber hecho el amor. Una luz dorada la había bañado, dándole un aspecto de lánguida diosa del sexo.

Y Declan había sentido una punzada de puro y auténtico deseo a la vista de aquella foto. El recuerdo lo ponía enfermo, como si hubiera traicionado a su hermano con su reacción a la mujer que él había amado. La misma mujer que lo había empujado a la desesperación. Entre uno y otra, ambos eran responsables de la muerte de Adrian.

Capítulo 3

Y A NO la estaba tocando, y, sin embargo, a Chloe le ardía la piel como si todavía siguiera en contacto con su cuerpo. Le bajaban estremecimientos por la espalda. Tuvo que tensar las rodillas para mantenerse firme. Se le iban los ojos a su cuerpo medio desnudo. Nunca había conocido a nadie como Declan Carstairs: su cuerpo fuerte y hermoso, su potente aura... con aquella mandíbula cuadrada y aquella cicatriz que le daba un aspecto de pirata.

Chloe intentó recordar la generosa sonrisa de Mark, el brillo de ánimo que solía ver en sus ojos castaños y, para su horror, solo pudo conjurar una borrosa imagen. ¿Era posible que se hubiera olvidado en tan solo seis años? ¿O acaso Declan Carstairs nublaba aquellas imágenes? Consternada, retrocedió un paso, dejó el cubo con los artículos de limpieza en el suelo y cruzó los brazos a la defensiva.

—¿Señor Carstairs? Si no desea nada más, tengo que seguir limpiando.

—Sí que hay algo, señorita Daniels. Estuvo usted trabajando aquí cuando vino mi hermano, ¿verdad? Mientras yo estaba en China.

Chloe se puso instantáneamente alerta.

—Sí. Llevaba ya algún tiempo cuando llegó él.

La simple mención de Adrian la llenaba de terror. ¿Cómo podía un hermano fascinarla tanto y despertar hasta ese punto su excitación sexual durante largo tiempo dormida, cuando el otro la había dejado tan fría?

–Dígame, ¿trajo a alguien más para que se quedara con él?

–No, vino solo.

–Pero recibiría visitas.

Aquellos ojos oscuros estaban fijos en un lugar muy cercano a su boca, como si estuviera absolutamente concentrado en sus palabras.

–Ninguna se quedaba a dormir.

–Pero sí a compartir algunas comidas.

–No que yo recuerde. Su hermano comía solo.

Excepto los días en que había aparecido en la cocina para insistirle en que comiera con él. Al principio, Chloe había aceptado. Pero luego, cuando su interés por ella se había hecho demasiado evidente, había optado por comer temprano en su habitación o buscarse algún pretexto para ausentarse de la casa a la hora de las comidas. Eso, sin embargo, no podía decírselo a su hermano. No ganaría nada confesándole que Adrian Carstairs había convertido su vida en un infierno durante aquellas últimas semanas.

–Entiendo –Declan seguía frunciendo el ceño–. Pero... ¿es posible que tuviera un visitante del que usted no supiera nada?

–Es posible. Pero no probable.

Poco a poco, Adrian había buscado cada vez más su compañía, hasta que ella se las había arreglado para evitarlo.

–¿No le mencionó a nadie? –la urgencia del tono de su jefe la sorprendió.

–No... que yo recuerde.

–Ya –Declan bajó lentamente la cabeza, como si le pesara. La vibrante energía que tanto le caracterizaba se había apagado. Parecía desesperado.

En un impulso, Chloe alzó una mano hacia él, pero en el último instante la dejó caer. Podía imaginarse su desabrida reacción.

–Lamento no poder ayudarlo.

–No importa. Pero, si recuerda haber visto a una mujer de pelo rubio, una amiga de Adrian... ¿me lo hará saber? Estoy intentando contactar con ella. Es... importante.

–Por supuesto.

Chloe frunció el ceño. Adrian nunca le había mencionado a ninguna novia. Le había parecido un hombre más bien solitario.

–Bien –durante unos segundos, Declan no se movió, como si quisiera prolongar la conversación. Luego se volvió y se alejó con cuidado, extendiendo un brazo hasta que tocó la puerta del pasillo, y desapareció en dirección a su habitación.

–Tengo que pedirle un favor.

Chloe se giró y descubrió a su jefe apoyado en la jamba de la puerta como si llevara siglos allí, observándola. Se le aceleró el pulso. Aunque evidentemente no la había estado observando, la inquietaba el simple pensamiento de que hubiera estado allí, escuchándola trajinar en la cocina mientras tarareaba por lo bajo una canción. Y, sin embargo, cuando reflexionó sobre ello, se dio cuenta de que no era angustia lo que sentía. No como cuando su hermano la había acosado, mirándola en silencio.

No, aquello era diferente: una espiral de excitación que la removía por dentro. En realidad, la carismática presencia de Declan había ahuyentado las últimas sombras de angustia que la habían acechado desde que regresó a Carinya. Al menos sus sueños ya no eran pesadillas. Las últimas noches se había despertado acalorada y sudorosa, estremecida por vívidas fantasías en las que aparecía Declan en su gloriosa desnudez.

–¿Sí, señor Carstairs?

Él se irguió y entró en la habitación, siguiendo el sonido de su voz.

–Tengo una reunión en Sídney y quiero deshacerme de esta barba.

Se pasó una mano por el áspero mentón. Chloe casi pudo sentir la deliciosa raspadura de su barba y el descubrimiento la dejó muda. ¿Cómo había llegado a desear tanto a aquel hombre? No eran amigos, y menos aún amantes. ¡Apenas lo conocía! Con Mark, el deseo había crecido a la par que la amistad, que el amor.

–David ya se ha marchado y yo me preguntaba si querría usted ayudarme.

–Por supuesto, señor Carstairs. Pero debo advertirle que nunca he afeitado a nadie.

–Entonces, yo seré el primero –sus labios se curvaron en una lenta sonrisa que le aceleró el corazón–. Será la primera vez para los dos. ¿En mi cuarto de baño dentro de cinco minutos?

Aunque había vivido con Mark durante cerca de un año, Chloe nunca se había imaginado que el acto de afeitar a un hombre pudiera convertirse en algo tan íntimo. De pie entre las piernas abiertas de Declan, que se había sentado en el taburete del baño, encajada entre la pared que tenía a la espalda y el lavabo a su derecha, se sentía acorralada. Pero no por lo exiguo del espacio, sino por su proximidad.

Apenas respiraba mientras deslizaba la hoja de afeitar por su mejilla enjabonada, demasiado consciente de la caricia de su aliento en su blusa y del calor de sus piernas en torno a las suyas. Le tembló la mano y tuvo que parar.

—Así.

Su mano se cerró sobre la suya, guiándola. Chloe intentó concentrarse en la forma de su mandíbula, en la necesidad de ser cuidadosa. Y, sin embargo, su mente seguía distraída con el contacto de sus largos dedos.

—¿Lo capta? —Declan dejó caer la mano y ella inspiró profundamente.

—Creo que sí —enjuagó la hoja de afeitar antes de aplicarse nuevamente a la tarea.

Él seguía inmóvil como una estatua y Chloe procuró convencerse de que esa vez sería más fácil, pero cometió el error de mirarlo a los ojos entre repaso y repaso. Aquellos ojos la fascinaban. Eran castaños, de un tono tan oscuro que resultaban casi negros, con diminutas vetas doradas.

—¿Chloe?

—¿Sí, señor Carstairs? —esa vez se atrevió a ladearle el mentón para tener un mejor acceso, diciéndose que, cuando antes terminara, antes se marcharía él y antes volvería ella a quedarse sola, a salvo de aquellas inquietantes sensaciones.

—Solo estaba probando a tutearte. Creo que, dadas las circunstancias, podrías ahorrarme el «señor Carstairs». Suena demasiado formal cuando me estás pasando una cuchilla por el cuello.

Chloe enjuagó la cuchilla y volvió a ladearle la cabeza, intentando ignorar el hecho de que tenía el rostro apenas a unos centímetros de sus senos. Y que los pezones se le estaban endureciendo bajo el encaje del sujetador.

—Usted es mi jefe —protestó, aferrándose a la formalidad de trato. Cuando bajó la mirada, registrando la forma en que sus tejanos se adherían a sus musculosos muslos, sintió una punzada de profundo anhelo en el bajo vientre.

–Si no te importa llamarme Declan, creo que no hay razón alguna para negarse.

Chloe sacudió la cabeza en silencio y repasó de nuevo con la hoja de afeitar el cuadrado perfil de su mandíbula. El ruido que hacía la hoja al deslizarse por su piel resultaba curiosamente sensual.

–Hazlo, Chloe.

Su aliento le acarició la piel desnuda que asomaba por encima del botón superior de su blusa. Una llamarada de deseo la recorrió desde los tensos senos hasta la entrepierna.

–¿Perdón?

–Llámame por mi nombre.

–De verdad que no creo...

–¿Me estás llevando la contraria?

–¿Me está usted dando órdenes?

Vio que esbozaba una media sonrisa.

–¿Cómo pudiste conseguir este empleo cuando te muestras tan poco dispuesta a complacer peticiones tan razonables?

Estuvo a punto de replicarle que llamarlo por su nombre no era una petición razonable. Que eso podría revelar el anhelo que tanto se estaba esforzando por reprimir, las poco profesionales reacciones que solo había sido capaz de ocultarle porque no podía ver.

–Si es eso lo que quiere...

–Lo quiero.

Vio que bajaba la mirada. ¿Se daría cuenta de que parecía estar mirándole directamente los senos? ¿Sería por eso por lo que una media sonrisa estaba bailando en sus labios? Intentó retroceder un paso, pero él la aprisionó con los muslos.

–Como guste.

–Pronuncia mi nombre, Chloe. Y tutéame.

–Declan.

Ya estaba. No le había costado tanto. Pero entonces... ¿por qué se relamía los labios como si hubiera paladeado un manjar prohibido?

–Bien. Y ahora, prosigamos. Sé que debo de tener un aspecto horrible, pero no es más que piel muerta.

Chloe se lo quedó mirando por un momento sin comprender, hasta que se dio cuenta. Su cicatriz. Se había detenido justo antes de afeitarle aquella zona. Y él pensaba que ella se mostraba reacia a tocársela. Cuidadosamente, enjuagó la hoja de afeitar.

–No tienes un aspecto horrible –pronunció en un ronco murmullo.

–¡No me vengas con esas! –él dejó de sonreír y volvió a apretar los labios–. No necesito que me mientas. Sé que debo de parecer el mismo diablo.

–No.

–¿No? –Declan inspiró profundamente–. ¿Qué es lo que parezco, entonces?

Aquella furia, aquel resentimiento era como una fuerza viva y vibrante. Instintivamente, Chloe retrocedió un paso, o al menos lo intentó, porque sus duros muslos volvieron a atraparla.

–Vamos, Chloe. Me merezco saberlo.

Pensó que su furia nada tenía que ver con ella. Aquel hombre no había terminado de asumir el desgraciado accidente que lo había dejado ciego.

–Yo no he dicho que la cicatriz sea bonita.

–¡Ah, al fin algo parecido a la verdad!

Chloe cerró los puños mientras miraba fijamente su sombrío rostro.

–Pero tampoco es tan fea como crees. Te da... personalidad –era verdad. Le daba un aspecto peligroso. Sexy.

–¡Personalidad! –Declan soltó una carcajada–. ¡Esta sí que es buena!

–Es cierto –el fuego que había sentido por dentro se metamorfoseó de pronto en una peligrosa mezcla de enojo y consternación.

–No necesito tu compasión.

Un escalofrío recorrió la espalda de Chloe.

–No. Lo que necesitas es dejar de compadecerte a ti mismo.

Las palabras resonaron en el silencio. Chloe había dejado caer la hoja de afeitar en el lavabo y se lo había quedado mirando furiosa con los brazos en jarras. El aire parecía vibrar de tensión. El silencio se prolongó. No podía creerse que hubiera respondido de aquella forma a su jefe, el hombre que le pagaba el salario. Pero al mismo tiempo lo apreciaba y se preocupaba por él. Lo suficiente, según parecía, como para arriesgarse a que la despidieran diciéndole la verdad.

Vio que alzaba bruscamente la mano, palpando el aire hasta que tocó su cadera. Fue como si le dejara una huella candente en la falda. Acto seguido sus dedos encontraron los suyos, apretándoselos, y llevó su mano hasta su rostro: justo al lugar bajo el ojo donde acababa su cicatriz.

Un temblor la recorrió cuando él apretó su dedo contra la piel dañada, de forma que pudiera sentirla bien. Pero la abrumadora impresión fue otra: una espiral de excitación que le atravesó el vientre. Con exquisita lentitud, él empezó a bajarle la mano, siguiendo la cicatriz con sus dedos, a través de la crema de afeitar, centímetro a centímetro. Era un castigo, un desafío, y, sin embargo, para Chloe tuvo la intensidad de una caricia. Potente, provocadora, capaz de despertar anhelos ocultos y de exponerlos a la luz del día.

–¿Sigues llamando «personalidad» a esto?

Chloe abrió la boca para hablar, pero antes de que pudiera hacerlo, él le bajó bruscamente la mano.

–¿O a esto? –se la plantó con fuerza sobre el muslo de la cicatriz, muy cerca de su cadera.

El corazón no podía latirle más rápido mientras contemplaba sus dedos bajo los de él, presionados con fuerza contra su muslo. Jadeaba levemente por la intensidad del contacto. Bajo su guía, su mano se fue deslizando por la fina tela de sus tejanos a lo largo de la oculta cicatriz. La herida era larga e irregular.

–¿Cómo lo llamarías a esto, Chloe? –la nota burlona había desaparecido de su voz, reemplazada por un enorme cansancio.

Durante aquellas últimas semanas se había quedado admirada de su valiente capacidad para adaptarse, en tan solo unos meses, a una vida tan diferente. Pero en ese momento, sintiendo como sentía el temblor que le recorría el muslo, podía vislumbrar el enorme esfuerzo que todo eso le costaba. Tuvo la sensación de que el corazón se le detenía, resquebrajada ya una nueva capa protectora.

–¿Y bien, Chloe? ¿Esto también rebosa personalidad? ¿Debo sentirme agradecido por el accidente que me dejó ciego?

–Quizá suene a trillado, pero hay mucha gente que se encuentra peor que tú –Chloe suspiró, negándose a acobardarse por su furia–. Eres rico. Gozas de buena salud. Tienes movilidad. Tienes la satisfacción de dirigir tu propio negocio. Tienes dinero suficiente para vivir cómodamente. Millones de personas no tienen esa suerte.

Hablaba por experiencia. Su propio padre adoptivo, Ted, había sido un hombre activo y lleno de energía. En ese momento, dolido todavía por la pérdida de su esposa, se hallaba confinado en una clínica de rehabilitación, recuperándose lentamente del ataque que le había inmovilizado la mitad del cuerpo y dejado sin habla. Y luego estaba Mark. Su muerte con veintidós años había sido el colmo de la crueldad.

–Tienes razón –le espetó él–. Suena a trillado.

–Lo siento –no sentía haber dicho la verdad, sino el hecho de que, obviamente, él no estuviera dispuesto a escucharla.

–¿Tienes alguna idea de lo irritante que es que te sermoneen sobre la necesidad de buscarle el lado positivo a la vida, o de que me aferre a la falsa esperanza de una recuperación como si fuera el santo grial? ¿Sobre la suerte que tengo de que me haya pasado lo que me ha pasado?

–No.

–Claro. ¿Cómo podrías?

Se levantó bruscamente, obligándola a dejarle espacio, pero no le soltó la mano. Luego, súbitamente, le subió la mano hasta su mejilla. Sus dedos entrelazados recorrieron su contorno mientras a Chloe le ardía la piel por la increíble intimidad de aquel contacto.

–A ti no te falta nada –murmuró–. Tu vida no ha quedado trastocada, para descubrir de repente que todo, todo aquello en lo que antes ni te detenías a pensar, es ahora exponencialmente más difícil que antes, por no decir imposible –le bajó la mano hasta una comisura de los labios–. Tú no estás atormentada de arrepentimiento por lo que no pudiste hacer... porque fallaste a la única persona que confiaba en ti por encima de todo.

Chloe se dio cuenta, con el corazón desgarrado, de que estaba hablando de Adrian. Quiso decirle que conocía de primera mano el sentimiento de culpabilidad que se presentaba asociado con la muerte. Si se había pasado tanto tiempo atormentada por la culpa, había sido porque no había reconocido los síntomas de meningitis de Mark con la antelación necesaria para salvarle la vida. Pero era demasiado pronto para esperar que Declan lo comprendiera. Su furia era demasiado reciente, demasiado fresca.

De repente, él le soltó la mano. Pero no se movió. La tenía acorralada contra una esquina, haciéndola tomar conciencia de la rebelde reacción de su cuerpo. Mirándolo en aquel momento, sentía una extraña emoción. Sentir aquello hacia su jefe era algo completamente inapropiado. Declan alzó entonces una mano para apoyarla sobre su mejilla. Chloe contuvo el aliento mientras sentía el lento recorrido de sus dedos por su piel. Cada caricia reforzaba su urgente necesidad. A duras penas logró permanecer donde estaba, sin ladear la cabeza para acercar la mejilla al encuentro de aquella mano. Su propia reacción la aterraba.

Con Mark había habido diversión, alegría, respeto mutuo. Pero no recordaba nada parecido a la visceral urgencia que le provocaban los dedos de Declan Carstairs palpando a tientas su piel.

–¿Qué edad tienes, Chloe Daniels?

–Veintisiete años –se irguió y alzó aún más la barbilla, solo para descubrir que él había bajado la mano hasta su cuello casi como si ella misma lo hubiera invitado a hacerlo. Echó la cabeza hacia atrás, inflamada por sus caricias–. ¿Qué edad tienes tú? –le preguntó.

Aquellos largos dedos le acariciaron entonces los labios, como incitándola a guardar silencio.

–Treinta y cuatro –ladeó la cabeza–. A los treinta y cuatro años, ciego y con cicatrices. No soy el hombre que era antes –se inclinó hacia ella–. Mientras que tú, Chloe, eres joven, dulce y no tienes cicatrices.

Se interrumpió cuando su mano le delineó la nariz para regresar luego a su boca. Chloe tenía ya los labios levemente hinchados, vibrantes.

–Y estás completa –añadió él en un murmullo–. Mientras que yo...

Sacudió la cabeza, triste, al tiempo que le acunaba el rostro entre las manos y deslizaba los dedos por su pelo. El suave masaje la llenó de un trémulo deleite.

De pronto, con una brusquedad que la dejó paralizada, dejó caer las manos y se apartó, tenso y con expresión amenazadora.

–No te quiero aquí.

Aquella declaración tan sencilla, tan rotunda, impactó en su mente aturdida como si se hubiera puesto a hablar en una lengua extranjera. Al ver que no se movía, Declan frunció el ceño en un gesto feroz.

–Sal de aquí, Chloe –las palabras sonaron como balas–. ¡Ahora mismo!

Capítulo 4

DECLAN caminaba de un lado a otro de la sala de juntas que su plantilla se había apresurado a abandonar. El ritmo del proyecto de China era demasiado lento y no había medido bien sus palabras.

Se había sentido condenadamente impotente... Incapaz de leer las cifras del proyecto por sí mismo, de leer los rostros de los socios del consorcio durante la presentación del vídeo. Los altos ventanales de la sala ofrecían una espectacular vista del puerto de Sídney: una vista que no había vuelto a admirar a pesar de la cháchara de los médicos sobre una posible recuperación. Según ellos, no tenía ninguna lesión física importante capaz de dejarlo ciego. ¡Como si hubiera optado por no ver a propósito!

Se apartó el pelo de la frente mientras continuaba caminando. Al menos el diseño de aquella sala era lo suficientemente sencillo como para que no tuviera que golpearse con los muebles y hacer el ridículo. Quizá también debería sentirse agradecido por ello. Las palabras de Chloe volvieron a resonar en su mente: había gente que estaba mucho peor que él. ¿Creía acaso que no lo sabía? En todo momento era consciente de que Adrian estaba muerto, no ciego o desfigurado. Y de que había sido él quien había fracasado a la hora de salvarlo. ¿Cómo se atrevía a acusarlo de compadecerse a sí mismo? ¿Y quién era ella para sermonearlo? Era joven: demasiado.

Su piel seguía teniendo la tersa, lisa textura de la juventud. Inmaculada y perfecta.

Cerró los puños, recordando la punzada de necesidad que lo había atravesado cuando delineó sus rasgos con las yemas de los dedos, memorizando la forma de sus altos pómulos y el delicado trazo de su barbilla. Su pelo suave como la seda, peinado hacia atrás. Su nariz recta y sus labios llenos.

Maldijo para sus adentros antes de golpear el cristal de la ventana con un puño. Estaba furioso, sí. Y también impaciente. Frustración: aquella palabra había adquirido un nuevo significado desde que Chloe Daniels llegó a su hogar. Antes de su llegada, se había sentido meramente frustrado con su ceguera, con su impotencia para encontrar y castigar a la mujer que había empujado a Adrian a la muerte. Aquel fracaso era como un cáncer en su alma. Pero, a esas alturas, la frustración de Declan poseía ya el agudo filo del apetito sexual. El constantemente presente perfume de Chloe, a sol y a vainilla, no dejaba de tentarlo. Durante demasiado tiempo, la caída en el vacío de Adrian había atormentado sus sueños. Pero esos sueños habían cambiado, y no se atrevía a reconocer que no versaban ya sobre Adrian, sino sobre la mujer de la foto que le había enseñado su hermano, la amante que lo había traicionado. Solo que, en lugar de odio, era deseo lo que sentía Declan hacia ella.

Volvió a golpear el cristal con el puño y bajó la cabeza, avergonzado. Ya había sido bastante malo que hubiera sentido aquel instantáneo chispazo de interés cuando Adrian le mostró la foto. Mucho peor era soñar con ella e imaginarse que tenía la misma voz clara que Chloe, su mente rápida, su piel imposiblemente suave. Era como si estuviera traicionando tanto a su hermano como a la mujer que trabajaba para él. La mujer que no había hecho nada malo, excepto plantarle cara en lugar de prosternarse ante él como la mayoría de su plantilla. Y que le había proporcionado consuelo y compañía con su discreta presencia, cuando más la había necesitado. Aquella mujer irradiaba vida y energía con su actitud independiente, lo alejaba de las oscuras fauces de la desesperación. Incluso se había descubierto inventando excusas para buscar su compañía. Hasta el día en que dejó Carinya para viajar a Sídney.

A punto había estado de abrazarla en el baño, al borde de perder el control. Si en aquel momento ella no se hubiera marchado a una orden suya, habría sido capaz de hacerle el amor de pie, contra la pared. La había deseado con una desesperación que lo asustaba. Una desesperación que habría dejado aterrada a la discreta y recatada señorita Daniels. Mascullando un juramento, se volvió para dirigirse hacia la puerta. Necesitaba encontrar a David y ponerse a trabajar. Cualquier cosa con tal de no pensar tanto.

Pero a medio camino de la puerta tropezó con una silla que no había estado allí antes. Del impulso, cayó hacia delante. Rodó por la moqueta, con una violenta punzada de dolor en su rodilla lesionada y su orgullo hecho trizas. Quedó tendido en el suelo, derrotado. Y soltó una amarga carcajada.

En Carinya se había permitido fantasear con que Chloe había sentido también aquella atracción, aquel mismo deseo, que tanto lo debilitaba. Era un estúpido. ¿Qué mujer podría desear a un hombre en su estado?

–¿Señor Carstairs? –Chloe se enorgulleció del tono tranquilo y profesional de su voz cuando llamó a la puerta de su despacho. Porque el corazón le martilleaba en el pecho ante la simple perspectiva de verlo.

Declan se había mostrado gruñón como un oso desde

que regresó de Sídney. Esperaba que fuera debido a problemas con sus negocios y no a la escena del baño: el día en que ella casi se había lanzado a sus brazos para besar aquella cínica y sensual boca con toda la pasión que había acumulado en su interior. Se estremecía de pensar en lo cerca que había estado de hacer un ridículo tan grande. Podía imaginarse a las mujeres bellas y sofisticadas que debía de frecuentar Declan. Ni siquiera ciego querría a un ama de llaves con las manos encallecidas por el trabajo, calzada con unos prácticos zuecos.

—¿Sí? —inquirió él con tono brusco.

—Acabo de recibir una llamada de David... del señor Sarkesian —desvió la mirada hacia el escritorio, donde estaba el teléfono descolgado. ¿Habría desconectado también el móvil?

—Ya sé quién es —rezongó como si lo hubiera interrumpido en medio de un trabajo importante. Y, sin embargo, estaba vuelto hacia la ventana, mirando el paisaje sin verlo.

Chloe intentó ignorar el brusco vuelco de lástima que le dio el corazón. A pesar de su riqueza y de su poder, se sentía terriblemente solo. Entró en la habitación y vio que ladeaba la cabeza hacia ella, como si pudiera identificar exactamente su situación pese a que la alfombra amortiguaba el ruido de sus pasos. Aquello la hizo vacilar. Contra toda lógica, parecía existir una conexión especial entre ellos.

—¿Y bien?

—Malas noticias, me temo. David acaba de hablar con el médico. Tiene varicela.

—¡No puede ser! Tiene treinta años. Solo los niños contraen la varicela.

—Parece que puede llegar a ser bastante peor en los adultos —Chloe se encogió de hombros—. El médico le ha aconsejado que esté un par de semanas de baja.

—¿Un par de semanas?

—Me encargó que le preguntara si deseaba que viniera algún miembro de la plantilla para ayudarlo con los actuales proyectos, o con cualquier otro asunto —se interrumpió. David era el guía de Declan, sus ojos. Aquellos «otros asuntos» entrañaban ayudar a Declan con las tareas íntimas y cotidianas cuando se impacientaba demasiado consigo mismo.

—Lo llamaré yo mismo —dijo con un tono que sonaba a derrota. No era el del hombre arrogante y seguro de sí mismo que solía ser.

Chloe abrió la boca para ofrecerse a marcarle el número, pero enseguida cambió de idea. La mera insinuación de compasión era anatema para él.

—Volveré entonces con mis obligaciones.

—No tan rápido.

—¿Sí, señor Carstairs?

—Habíamos quedado en que nos tutearíamos. Habías empezado a llamarme Declan, ¿recuerdas?

Oh, lo recordaba demasiado bien. Se le endurecían los pezones cuando evocaba aquella escena del baño. Su cercanía y el contacto de su piel habían alimentado un ansia que no había encontrado desahogo.

—¿Hay algo más que desee? —se concentró en provocar su evidente disgusto porque no lo había tuteado ni llamado por su nombre. Estaba sudando. No recordaba haberse sentido nunca tan tentada, tan excitada. Egoístamente, se alegró de que no pudiera verla. Intentó decirse que solo se trataba de sexo, de atracción física. Lo único que tenía que hacer era marcharse y desaparecería.

—Vuelve dentro de una hora. Necesito que alguien revise mis correos. Habitualmente me los lee David, pero ahora... —se encogió de hombros y abrió los brazos.

No había duda alguna de la impaciencia que traslucía detrás de su máscara de tranquilidad. Le fastidiaba tener que depender de los demás.

–¿Hasta que llegue el sustituto de David? –pensó, confiada, que podría soportar unas cuantas horas trabajando con Declan.

–No habrá sustituto. David sabe cómo funciono y tú también –durante un rato, pareció como si se la quedara mirando. Inevitablemente, se produjo la reacción–. Tú y yo podremos trabajar juntos hasta que David vuelva. No necesito a nadie más.

A Chloe se le encogió el corazón. En otras palabras, no quería que nadie más lo viera en aquel estado de vulnerabilidad a causa de su ceguera. Porque ella no contaba. Ella ya lo había visto furioso cuando se manchaba la camisa de comida o tropezaba con algo. Se estremeció, consternada de descubrir que ansiaba que él buscara su compañía por sí misma, y no para apuntalar su orgullo. Y lo más importante era que, al mismo tiempo, sabía que trabajar diariamente con él sería un desastre. Como caminar por el filo de la navaja.

–Lo que quieres decir es que tienes miedo de tener a alguien más aquí.

–¿Qué has dicho? –Declan volvió la cabeza, siguiendo el sonido de su voz mientras ella se le acercaba.

–Te asusta que otra persona te vea así de vulnerable.

Se detuvo ante él. Su voz era baja, cercana. Su sutil perfume lo envolvía. Furioso tanto con su propia reacción como con sus palabras, alzó una mano para agarrarla, pero se detuvo en el último momento. ¿Acaso no se acordaba de la última vez que la había tocado? Dejó caer el brazo como si fuera de plomo.

–No te he contratado para que juzgues mis actos, sino para que hagas lo que te digo.

–¿Incluso aunque sea un error?

¿Era un temblor lo que había detectado en su voz? Como si estuviera nerviosa.

–Yo decido lo que es acertado para mi negocio. Nadie pone en cuestión mis decisiones.

–¿Estás diciendo que solo quieres gente servil a tu alrededor? ¿Gente que solo te diga lo que quieres escuchar, en vez de la verdad?

–Supongamos que tienes razón. Quizá te gustaría aconsejarme también sobre nuestro último proyecto en Oriente Medio, dado que te consideras tan experta. O sobre nuestro déficit en Australia Occidental...

–No hace falta ser sarcástico.

Le estaba plantando cara, algo que no habían hecho sus directores en Sídney, la semana anterior. Aquello le intrigaba. Ella lo intrigaba. Se cruzó de brazos.

–Vamos. Estoy esperando.

La oyó arrastrar los pies, sin moverse del sitio. Había tenido razón: estaba nerviosa.

–Creo que sería más... productivo que una de tus secretarias te ayudara hasta que pueda venir David. Yo no te seré de mucha ayuda. No tengo práctica.

–Yo te enseñaré.

–Tengo otros trabajos que hacer.

–¿Qué es lo que está pasando realmente por tu cabeza, Chloe? ¿Por qué no quieres trabajar conmigo? Tengo mal aspecto, pero no muerdo.

–Tú solo me quieres porque te has acostumbrado a mí. Yo no supongo una amenaza para ti. Si alguien de Sídney viniera a esta casa, te sentirías vulnerable solo por el hecho de que te viera en este estado.

Desde luego que la quería, pensó Declan. Pero no solo porque se hubiera acostumbrado a ella. Aunque lo cierto era que no sabía por qué la quería, sobre todo cuando continuamente lo estaba desafiando.

–Te estás convirtiendo en un ermitaño. Y eso es peligroso, Declan.

Abrió la boca para soltarle una furiosa réplica, pero entonces registró el temblor de su voz cuando pronunció su nombre... como si estuviera sinceramente preocupada. Frunció el ceño. No recordaba la última vez que alguien se había preocupado por él, al menos en un plano tan personal. Alguien que no fueran los médicos, las enfermeras, los inversores...

–Te estás imaginando cosas. Yo no soy un ermitaño –mientras hablaba, Declan todavía no podía creerse que estuviera manteniendo esa conversación. Quizá el accidente le había afectado más de lo que creía.

Necesitado de reafirmar su autoridad, caminó hacia el escritorio y se sentó en su sillón: en aquella habitación se orientaba perfectamente. Se giró para mirarla. Aquella posición tan familiar le proporcionaba una ilusión de control sobre un mundo extraño que constituía una amenaza.

–Te estás escondiendo del mundo.

–¿Yo? ¿Me estaba escondiendo la semana pasada, cuando mantuve todas esas reuniones en Sídney?

¿Y desde cuándo tenía ella derecho a formular esas observaciones? Chloe tardó un rato en replicar. Pero no se amilanó.

–Tú utilizas el trabajo para esconderte. No ves a nadie ni sales a ninguna parte que no tenga relación con tu trabajo. Eso no es sano –inspiró profundamente–. No me sorprendería que el accidente te hubiera... afectado. Quizás la ayuda de un psicólogo...

–¡Basta! –Declan se levantó–. No necesito un psicólogo. Como tampoco necesito tus consejos.

–Me doy cuenta de que estás afectado...

–Insultado, más bien –murmuró por lo bajo mientras se apoyaba en el escritorio. Le había dolido la pierna por la rapidez con que se había levantado. Cerró los puños. Sus limitaciones físicas le estaban volviendo loco.

–Yo no te insulto al sugerirte que tal vez necesites hablar con alguien.

–¿Porque no quiero que me agobien? –sacudió la cabeza, harto de que la gente le dijera constantemente lo que tenía que hacer–. Si tú hubieras pasado por lo que yo, seguramente preferirías estar sola también.

–Pero tú no, ¿verdad? Tú no eres feliz.

–¡Señor, dame fuerzas! ¿Ahora estás haciendo de psiquiatra?

Supuso que Chloe debía de haberse acercado. Porque en ese momento su voz sonaba muy próxima, justo delante de él.

–Yo solo sé que has sufrido mucho y que esconderte no te ayudará. Eso te puede conducir a la depresión.

La palabra «depresión» le recordó inmediatamente a Adrian. Debió de haber estado deprimido cuando se suicidó. El pensamiento lo dejó anonadado. Su hermano, siempre tan brillante e inteligente, había llegado a tal extremo de abatimiento que había elegido morir antes que salir adelante. ¿Cómo había podido dejar que sucediera algo así?

–¿Sabes tú algo de la depresión?

–Conocí a alguien que tenía... problemas. Si hubiera pedido ayuda, las cosas habrían sido muy distintas.

Como Ade. Si Declan hubiera llegado antes... Había tenido muchas ganas de ver a su hermano, después de todo el tiempo que habían pasado separados. Habían transcurrido cinco meses desde su última visita a Londres, y cerca de un año desde la última visita de Ade a Carinya. Pero Declan había dado por supuesto que su relación no había cambiado, que seguían tan unidos como siempre. Qué equivocado había estado. Quedarse en Asia para terminar de atar aquel ambicioso contrato había sido un error. Como también lo había sido dejar que Adrian lo convenciera de que todo marchaba perfectamente.

–¿Tu amigo... él...?

–Preferiría no hablar de ello.

Su tono enérgico le dijo a Declan todo lo que necesitaba saber. Su indignación desapareció cuando se dio cuenta de que había hablado movida por una sincera preocupación y una dolorosa experiencia personal. Volvió a sentarse en el sillón.

–Te diré lo que haremos, Chloe. Ayúdame en el despacho seis días a la semana y te subiré el sueldo. Y dejaré además que me lleves al parque con una mantita sobre las rodillas para que no agarre frío.

–Eres tan sarcástico...

Declan sonrió al escuchar el matiz de impaciencia de su tono. Descubrió que no le gustaba nada cuando estaba triste.

–¿Trato hecho, Chloe?

–¿Cómo podría rechazar una oferta tan tentadora?

Capítulo 5

DE QUÉ te ríes?
Chloe alzó la mirada y descubrió a Declan en el umbral de la cocina. Era a última hora de la tarde, el momento que tenía libre después de trabajar con Declan y antes de que empezara a preparar la cena. El sol rasante arrancaba reflejos rojizos a su pelo oscuro y resaltaba los duros rasgos de su rostro. La sonrisa que veía bailar en sus labios le aceleró el pulso.

Trabajar con él había supuesto algo más que una tregua entre ambos: había creado una amistad que antes nunca había creído posible. Porque detrás del hombre resuelto e implacable había descubierto un estimulante sentido del humor, que se sumaba a una gran generosidad de espíritu.

−¿Qué estás leyendo, Chloe? ¿Alguna revista de cotilleos?

−No. *Orgullo y prejuicio*.

−¿Y eso es divertido?

−¿No has leído la novela? Fíjate cómo empieza: «Es una verdad universalmente admitida que un hombre soltero en posesión de una gran fortuna tiene por fuerza que desear una esposa».

Lo oyó gruñir mientras cruzaba los brazos sobre el pecho.

−¿Y eso te parece divertido? La autora está expresando sus propias expectativas. O la de la mitad femenina de la población.

Chloe ladeó la cabeza mientras contemplaba fascinada su expresión.

—Eres tan cínico... —dejó su gastada edición de bolsillo sobre el asiento de la ventana.

Él se limitó a apoyar un hombro en la jamba de la puerta. Chloe era consciente de que la manera en que se había desarrollado su relación le producía un íntimo, e ilícito, estremecimiento de placer. Declan parecía haberla aceptado de buena gana, asumiendo que se preocupara por él. Intentó recordarse que eso era simplemente la base de una buena relación de trabajo, nada más. Y, sin embargo, no podía evitar pensar que había algo personal detrás de todo ello.

—Si fueras un hombre soltero en posesión de una gran fortuna, lo comprenderías —dijo él.

—¿Han sido muchas las mujeres que se han propuesto echarte el guante?

—Si te refieres a si han intentado seducirme para que me casara con ellas, sí. Pero no con guantes. La lencería transparente viene a ser la norma —reflexionó, frotándose la barbilla—. El encaje. O incluso...

—¡Ya lo he entendido! —Chloe se levantó, desagradada ante la idea de que tantas mujeres se hubieran lanzado a sus brazos.

La violenta punzada de celos que experimentó la dejó sin aliento. Era ridículo que sintiera aquello cuando Declan era su jefe. Pero lo cierto era que seguía mostrándose incapaz de reprimir su atracción por él... aunque la palabra «atracción» se quedaba corta. Porque Chloe sentía mucho más que deseo. Había respeto. Admiración. Y mucho más... ¿Cómo había podido ocurrir? Había estado contenta y satisfecha con la vida que había llevado hasta entonces, pero gracias a Declan había sido capaz de volver a sentir. Recordó de pronto la dolorosa factura que le había dejado la pérdida de Mark y sintió miedo.

–Al menos mi convalecencia después del accidente me ha ahorrado esos problemas –añadió él–. Aunque, tarde o temprano, alguna fémina emprendedora me elegirá como candidato ideal para el matrimonio. «El pobrecito Declan con su ceguera y sus cicatrices», pensará... «seguro que necesitará un poco de atención femenina. Y además seguro que será más fácil de engañar».

–No hables así –Chloe se levantó, cerrando los puños a los costados.

–Lo siento. Por lo general no me regodeo en la autocompasión.

–No es eso –a Chloe le temblaba la voz mientras se esforzaba por respirar normalmente–. Es solo que... –sacudió la cabeza, incapaz de poner en palabras el feroz sentimiento de protección que la invadía. Detestaba que hablara de sí mismo de esa manera–. Eres demasiado inteligente como para dejarte engañar. Tú sabes juzgar a las personas.

–¿Eso crees? No siempre. He cometido errores.

Frunció el ceño, y ella supuso que estaría pensando en su hermano. Ya había visto y oído lo suficiente como para saber que se culpaba a sí mismo por no haber estado al lado de Adrian cuando este lo había necesitado. Ese conocimiento lo volvía todavía más humano. Y más atractivo.

–Un día te enamorarás.

–¿Yo? –Declan enarcó las cejas–. Lo dudo.

–¿No crees en el amor? –la idea la sorprendió. Porque, de alguna forma, el amor había gobernado su vida. El amor de sus padres adoptivos, y luego el de Mark. Sin eso, a esas alturas todavía seguiría siendo la chica furiosa y antisocial, con complejo de víctima, que había sido durante su adolescencia, siempre disimulando sus carencias tras una fachada bravucona. El amor era el

único consuelo cuando el mundo se volvía un lugar frío
y siniestro.

–¿Y tú?

–Yo sí.

¿Era su imaginación o aquella respuesta le había sonado a promesa solemne, sagrada? Declan intentó adop-
tar su habitual actitud escéptica. Buscó las palabras que
cuestionaran aquella certidumbre que había escuchado
en su tono, pero, para su asombro, no pudo encontrarlas.
En lugar de ello, se preguntó cómo sería que una mujer
como Chloe, directa, sincera y terriblemente sexy, se
creyera enamorada de él.

Un torrente de deseo hirvió de pronto en sus venas,
como si quisiera precisamente eso: el amor de una sola
mujer. Una mujer como Chloe. Se frotó la nuca. ¿Qué
diablos le estaba sucediendo? De alguna manera, se había acostumbrado a necesitar cada vez más la presencia
de Chloe para llenar el vacío que sentía por dentro. Atravesó la cocina, encendió la tetera y alcanzó el tarro del
té que estaba sobre el banco, debajo de la ventana.

–¿Cómo has hecho eso?

La voz de Chloe lo detuvo justo cuando estaba a
punto de destapar el tarro.

–¿Hacer el qué?

–Localizar tan fácilmente el tarro del té.

Le dio un vuelco el corazón. Era verdad: ¿cómo había sabido que estaba allí? Lo de la tetera no necesitaba
explicación: Chloe lo dejaba todo meticulosamente en
su sitio, para que pudiera encontrar cualquier cosa en
cualquier momento. Pero habitualmente era café lo que
tomaba, nunca té.

La tapa escapó de sus manos y fue a caer sobre el
banco, haciendo un ruido metálico. Declan parpadeó

varias veces, pero la oscuridad no se desvaneció. Y, sin embargo, apenas unos segundos antes, habría jurado que vislumbró luces y sombras. La luz del sol. Como si el sol hubiera iluminado el banco donde había estado el tarro del té.

–¿Has podido... ver algo?

Oyó la voz de Chloe, dulce y esperanzada, justo a su espalda. Consciente de su presencia, aspiró su perfume a vainilla. Pero en ese momento, ante él, no había nada más que oscuridad. La furia lo abrasó, incinerando el diminuto capullo de esperanza que, por un instante, había empezado a abrirse. Ya era bastante malo estar ciego, pero que los médicos mantuvieran viva la esperanza de que algún día pudiera recuperar la vista... Eso era demasiado. Mejor matar toda esperanza que soportar una continua decepción. No podía vivir así. Como tampoco podía dar falsas esperanzas a una mujer que tanto había llegado a significar para él.

–Por supuesto que no –gruñó–. No veo maldita la cosa. Eso ya lo sabes.

Se hizo un denso silencio, y Declan se arrepintió de su exabrupto. La culpa no era de Chloe. Un hombre mejor que él debería disculparse, explicarse. Pero de repente se dio cuenta de que le aterraba lo que pudiera decirle una vez que empezara. Porque con Chloe se sentía... diferente. Y quería más de ella, aunque se las arreglaba para disimularlo durante la mayor parte del tiempo.

–Tengo algo para ti –le dijo ella. Su voz era tranquila, un maravilloso bálsamo de alivio para sus turbulentos sentimientos.

–¿De veras? –se volvió.

–Aquí –le puso algo en la palma de la mano y le cerró los dedos.

Declan tragó saliva, inmóvil. Durante aquellas últimas semanas no la había tocado. No desde aquel día en el baño, cuando la simple sensación de su mano en la suya y la caricia de su suave mejilla casi habían acabado con sus buenas intenciones. Pero en ese momento, sin saberlo, Chloe acababa de dar rienda suelta a la insaciable necesidad que él había encerrado en un oscuro rincón de su alma. Estremecido, le tembló la mano.

–¿Declan? ¿Estás bien?

–Sí. ¿Qué es?

–Te gustará –le aseguró con tono ligero–. Es un sensor. Acércalo al borde de tu taza. Así... –guió su mano hasta la taza que acababa de sacar del armario–. Engánchalo. Cuando viertes el agua de la tetera, el sensor te avisa del nivel alcanzado para que no te pases al llenarla y la derrames. Práctico, ¿verdad?

Declan la sintió apartarse. Perdió el calor de su piel y fue de pronto consciente de lo mucho que lo aterraba aquel vacío. Quiso volver a acercarla hacia sí, abrazarla. Quería tenerla a su lado, la única presencia luminosa en aquella nebulosa oscuridad.

–¿Declan?

–Gracias, Chloe –forzó una sonrisa–. Es perfecto. Ideal para un ciego.

Chloe flotaba de espaldas en el agua caliente de la piscina. El sol acababa de ocultarse detrás de las montañas y únicamente las luces de la piscina iluminaban el ambiente. Debería estar durmiendo después de otro día agotador, pero no podía dormir. Por culpa de Declan. Siempre estaba presente en sus pensamientos: su inagotable energía, su sorprendente humor. Era generoso y tenía un tacto especial del que habían carecido sus jefes anteriores.

«Jefes», pensó, suspirando. Ese tabú se había desmoronado ante la fuerza de sus sentimientos. Ahora lo veía como hombre, no como un jefe. Declan Carstairs tenía una oscura intensidad que la hacía estremecerse. No era como Mark: un hombre tierno y decente, discreto. Declan reclamaba toda su atención, la desafiaba, la hacía sentirse distinta. Su callado dolor la impulsaba a cuestionar los negativos recuerdos que conservaba de su hermano, preguntarse por el hombre que había sido Adrian en el fondo, antes de que la enfermedad lo hubiera cambiado. Y el dolor que sentía Declan por su hermano era una prueba de su profunda capacidad de amor.

¿Amor? Se quedó atónita. No podía, no debía pensar en esos términos. Con el corazón acelerado, intentó concentrarse en el momento. Abrió los dedos, disfrutando de la caricia del agua. Era como flotar en una seda líquida que acariciara su hipersensible cuerpo. Un cuerpo que Declan Carstairs había despertado a la vida después de seis años de hibernación. Demasiado a menudo se descubría ansiando abrazarlo, dejando que las llamas del deseo los consumieran a ambos.

David Sarkesian volvería pronto. Echaría de menos las íntimas sesiones que había compartido con Declan. Sus sentimientos eran demasiado peligrosos. Pero no tardaría en estar a salvo. No de Declan, sino de sus propios anhelos.

Las baldosas todavía estaban calientes por el sol cuando Declan salió cojeando de la casa, en dirección a la piscina. Segundos después se lanzaba de cabeza al agua. Aquel instante de expectación antes de zambullirse era lo más parecido al entusiasmo que siempre le habían despertado los deportes extremos, ahora negados.

El agua se cerró sobre él en un cálido abrazo. Qué

sencillo sería lanzarse de cabeza y no encontrar el agua, sino el vacío, la muerte. Pero él no era Adrian. Por muy pesada que fuera la carga que arrostrara, no podía desear la muerte. Incluso para el hombre que en ese momento era, discapacitado y acosado por la culpabilidad, eran muchas las cosas que tenía que hacer. Si no por él mismo, al menos para hacer justicia a Adrian. Era por eso por lo que no podía dormir.

No tenía que ver con otro día trabajando con Chloe, con su delicioso aroma y su tentadora voz. Llevaba ya demasiado tiempo reprimiendo sus ingobernables necesidades motivadas por la seductora imagen de Chloe a su lado: no solo en su despacho, sino en su vida. Era una locura, pero se había descubierto acariciando la idea de tener una relación con ella. Y no una breve aventura sexual, sino una relación a largo plazo.

¿En qué clase de estúpido se había convertido? ¿Acaso la ceguera le había nublado también el entendimiento? Ninguna mujer en su sano juicio, y mucho menos una mujer tan brillante, atractiva e inteligente como Chloe, se ataría a un hombre como él. Solo una mujer a la que moviera la piedad o la avaricia podría pasar por alto aquello en lo que se había convertido: un lisiado, incapaz de realizar las tareas más insignificantes sin ayuda. Y él no necesitaba piedad. En ese momento necesitaba nadar hasta agotarse.

Emergió para respirar. Acababa de dar la primera brazada cuando chocó con algo que flotaba en la piscina. Algo no, alguien. Sentía bajo sus dedos una piel escurridiza; los contornos de una cadera, de una cintura; el calor de un seno contra su pecho. Unas largas piernas enredándose con las suyas.

—¿Chloe?

¿Qué otra sirena habría podido invadir sus dominios? Ella se movió cuando él alzó una mano, con lo que rozó uno de sus dulces senos. Sintió el pezón endurecido contra la palma.

Instintivamente, se apoderó del seno.

—¡Declan!

Era una súplica débil. Sonaba casi a ruego de incrementar el contacto. Brutalmente se recordó que eso era imposible. Tenía que ser sorpresa, asco incluso. Subió la mano hasta agarrarla de un hombro. Todavía sentía la huella candente de su seno en la palma.

Sus piernas volvieron a rozar las suyas, solo que esa vez su erección se interpuso. La oyó contener el aliento de golpe. Dejó de moverse. ¿Se había quedado paralizada de terror? Declan se recordó que tenía perfecto derecho a nadar desnudo. Era su piscina, su lugar de soledad y tranquilidad. La intrusa era ella. Lo estaba volviendo loco.

—¿Estás bien? —gruñó.

—Claro que estoy bien.

Y, sin embargo, su voz sonaba medio ahogada, como si le costara respirar. A él le ocurría lo mismo.

—¿Qué estás haciendo aquí?

—Nadar. Bueno, flotar. Relajarme.

Intentó imaginársela flotando. Tenía el pelo rubio y la tez clara, según le había dicho ella misma. Inevitablemente, se sintió frustrado. ¡Quería verla, no imaginársela! Quería...

—Declan... Tienes que soltarme.

Lo intentó, pero sus dedos se negaban a ello.

—No estás forcejeando para liberarte.

¿Quizá porque temía lo que pudiera hacerle? ¿Porque había reconocido al animal que habitaba dentro de él?

—¿Necesito hacerlo? —la ronquera de su voz lo excitó todavía más.

—No te serviría de nada. Pero no te preocupes. No voy a hacerte daño.

–Eso nunca se me ha pasado por la cabeza.

Declan soltó una carcajada. Qué confianza la suya... Necesitaba agotarse para poder dejar de pensar en ella. Estaba tan ávido, tan necesitado... Nunca en toda su vida se había sentido tan inseguro ni tan fuera de control.

–¿Declan? ¿Estás bien?

Sintió una mano en el rostro, en la mejilla, con el pulgar descansando sobre la odiada cicatriz.

–Perfectamente –mintió.

–No me has soltado.

Por supuesto: todavía la estaba agarrando. Retiró la mano de su hombro para sostenerla únicamente de la cintura. Dio una patada para mantenerse a flote, y una vez más la rozó con su miembro desnudo.

–¡Declan!

–Perdona. No lo he hecho a propósito.

¿Seguro? Ansiaba apretarse contra su dulce cuerpo, hundirse en su secreto calor. Anhelaba saborearla.

–Se está haciendo tarde –susurró ella–. Debería...

Era una frase tópica. Declan procuró buscar alivio en la furia. Era lo más seguro.

–¿Irte? –gruñó–. No te culpo. Mirar mi feo rostro ya debe de constituir suficiente castigo. Yo... –pero se interrumpió cuando sintió su mano en el hombro. Ese no era el contacto de una mujer que deseara escapar–. ¿Chloe?

–Tú no eres feo –otra vez aquella sensual ronquera en la voz–. Yo... he querido tocarte...

–¿Has querido tocarme, dices? –el asombro lo dejó aturdido, pero no por mucho tiempo. Sin darle tiempo a que recuperara la cordura la besó en el cuello, deteniéndose en el pulso que parecía latir fuera de control.

Sabía que debería dejarla en paz, pero no podía. Con un gruñido, se apoderó de su boca. No recordaba haber besado a nadie así. La ceguera agudizaba sus sentidos. Podía sentir su calor, su temblor, oler la fresca fragancia de su piel húmeda. Y ella se apretaba contra él, devolviéndole beso por beso, cada vez con mayor pasión. Solo la sensación del agua cerrándose sobre sus cabezas pudo devolverle la cordura. O casi.

La arrastró urgentemente hacia el extremo menos profundo de la piscina. Allí el agua les llegaba hasta los muslos. A cada segundo esperaba un rechazo por su parte: estaba convencido de que sería inevitable. Pero lo que sentía en ella le decía una cosa bien distinta. El pulso le latía a toda velocidad. Chloe le rodeó los hombros con un brazo mientras bajaba la otra mano hasta su vientre.

–No –le dijo él con un murmullo estrangulado–. No a no ser que quieras que esto acabe... antes de que empiece –sintió que retiraba la mano y entonces le atenazó el miedo–. ¿Quieres esto, Chloe? ¿Me deseas?

Antes, nunca habría hecho esa pregunta. Pero en ese momento, ciego y desfigurado, la duda lo acosaba. Se sentía tan perdido... Ni siquiera podía leer su expresión.

–Te deseo, Declan. Te deseo...

El resto de sus palabras terminaron en un jadeo cuando él la sentó en un escalón y colocó su mano, ancha y segura, sobre su dulce entrepierna. Sintió su reacción mientras ella se apoderaba ávidamente de su boca. Le ardía la sangre, la expectación le tensaba cada músculo. Apenas había deslizado los dedos bajo la braga de su biquini, encontrando su diminuto nudo de placer, cuando la sintió dar un respingo en sus brazos, toda convulsa. Ahogando una exclamación de sorpresa, percibió su acelerado pulso en su sexo y enseguida ella empezó a arquearse contra su mano, con inocente ferocidad.

–¡Declan! –se aferraba desesperadamente a él.

Tanto entusiasmo por poco le hizo perder el control. Estaba tan ávida, tan deseosa...

–Ha pasado mucho tiempo desde tu última vez –murmuró él. Nunca había conocido a una mujer que estuviera tan desesperada por hacer el amor.

–Demasiado –lo besó una vez más en los labios–. Años.

¿Años? Eso explicaba por qué estaba tan dispuesta a ignorar su rostro desfigurado. Aunque en ese momento casi ni le importaba... Apoyando su peso sobre un codo, le bajó la braga del biquini. Ella intentó tocarlo, pero él le apartó la mano. Ya habría tiempo para eso después.

La sentó en un escalón superior, de modo que solamente sus pantorrillas quedaron dentro del agua. Acto seguido bajó la cabeza y empezó a acariciar la sensible piel de la cara interior de sus muslos con su barba. Por un momento se preguntó si no estaría siendo demasiado brusco, hasta que la oyó gemir y sintió sus dedos hundiéndose en su pelo para acercarlo más hacia sí.

–Chloe, me estás volviendo loco –las palabras quedaron ahogadas por su piel. Sabía a pura delicia, dulce y salada a la vez. Sus piernas, frescas y suaves, se cerraron sobre él mientras se incorporaba levemente para entregarse mejor a sus caricias.

Un beso y la oyó suspirar. Una lametada y sus dedos se clavaron como garras en su pelo. La frotó con la nariz y ella gimió su nombre.

–¿Te gusta esto?

–Ya sabes que sí. No puedo...

Se interrumpió cuando él volvió a acariciarla, sintiendo el leve temblor de placer que la barrió como una ola. Declan se sonrió, paladeando el sabor de la excitación, disfrutando de sus reacciones. Otro beso lento y provocativo y el temblor se convirtió en un espasmo que sacudió el cuerpo de Chloe, arrancándole un grito de éxtasis. Saboreó su placer, su acelerado pulso, recreándose en la manera en que por fin consiguió relajarla.

Incorporándose, depositó un beso en un delicioso seno. Y otro en sus labios entreabiertos. Se había quedado inmóvil, saciada. En un impulso, Declan se levantó. Se disponía a alzarla en brazos cuando de repente recuperó la cordura, con el aire fresco de la noche. Lo asaltó la duda. La dura realidad. Chloe había estado desesperada por alcanzar el orgasmo: el más leve contacto había bastado para excitarla. ¿Lo seguiría deseando ahora, una vez satisfecha su necesidad? ¿O se lo impedirían sus cicatrices? Una cosa era tomar lo que se le ofrecía, y otra distinta desearlo activamente. Quería que ella acudiera a él bien dispuesta y con los ojos bien abiertos, no porque le inspirara pena o gratitud.

Se alejó de allí antes de que pudiera cambiar de idea. Chorreaba agua y, por un instante, le pareció distinguir el borroso contorno de la piscina, iluminado por los focos submarinos. Pero enseguida la implacable oscuridad volvió a cerrarse sobre él, en un recordatorio de lo vana que era esa esperanza. Se aferró a su orgullo: su única defensa.

—Me voy a mi habitación —dijo con voz ronca—. Si me deseas, ya sabes dónde encontrarme.

Capítulo 6

CHLOE seguía sin ir.
Era ridículo que se sintiera tan decepcionado. Se había convencido a sí mismo de que Chloe lo deseaba tanto como él a ella. De que compartían incluso algo más fuerte, una conexión que no conseguía identificar. Había sido un estúpido iluso. Rechazar la oportunidad que ella le había ofrecido de tomar lo que tanto quería había sido absurdo. Había dejado que su orgullo lo convenciera de que Chloe debía acudir a él para así poder estar seguro de que lo deseaba. Que lo deseaba a él, no un anónimo orgasmo en la oscuridad. Maldijo su ego. Si se hubiera quedado, al menos habría podido desahogarse, con orgullo o sin él.

Le dolía el cuerpo de lo excitado que estaba. Y le seguiría doliendo. Aquello no podía continuar. Uno de los dos tendría que marcharse. Al día siguiente. Pero el sonido de la puerta al abrirse interrumpió sus reflexiones.

—¿Chloe?

—Soy yo, Declan.

Respiró por primera vez a fondo desde que había abandonado la piscina.

—Has venido.

—¿Cómo habría podido no hacerlo?

Su voz lo envolvió, llenándolo de una sensación nada familiar. ¿Alivio? ¿Gozo? Sacudió la cabeza, recordándose que la imaginación podía gastarle una mala pasada, posiblemente por culpa de su frustración sexual.

–Porque te sientes obligada –masculló.

–No. Porque te deseo.

Sus palabras le robaron el aire de los pulmones, dejándolo extrañamente vulnerable. ¿Tan desesperado estaba? Le aterraba lo mucho que necesitaba que aquello fuera cierto. Lo mucho que la necesitaba a ella.

–Montártelo con un ciego te excita, ¿verdad? –las palabras escaparon de su boca antes de que pudiera evitarlo.

Chloe ahogó una exclamación. ¿Acaso él no la quería allí? Incluso en ese momento, viendo su rampante excitación mientras permanecía desnudo bajo la luz, se sintió tentada de huir. De volver a esconderse tras la coraza de rutina y pragmatismo diseñada para mantener sus sentimientos a distancia. Y, sin embargo, se quedó clavada en el sitio. Necesitaba a Declan tanto como respirar. Había deseo, sí, pero también mucho más. Declan Carstairs le hacía sentir demasiadas cosas. Le temblaron las manos, con lo que tintineó la bandeja.

–¿Qué es eso?

–Una bandeja. Vino. Comida –mientras hablaba, se dirigió al otro lado de la gran cama de matrimonio para dejarla sobre la cómoda. Llevar aquella bandeja le recordaba su papel en aquella casa. Su papel como asalariada. Pero esa noche no era su ama de llaves.

–¿Estás intentando convertir esto en alguna especie de cita romántica?

–No has cenado y pensé que podrías tener hambre –por nada del mundo le confesaría que los preparativos de aquella especie de aderezo romántico de su encuentro la habían ayudado a tranquilizar los nervios. Después de su comportamiento en la piscina, se resistía a reconocer la desesperada necesidad que sentía por aquel hombre. Ella no era aficionada al sexo rápido, insustancial. ¿O se estaba engañando a sí misma al creer que podía haber algo más que sexo?–. ¿Eres tan desagradable con todo el mundo?

Con los brazos en jarras, se lo quedó mirando desde el otro lado de la cama. Declan ofrecía una estampa magnífica, alto, musculoso, escandalosamente viril. Pero, al mismo tiempo, era como un campo de minas emocional.

–¿O es que no me deseas, Declan, porque soy una simple empleada tuya? –finalmente, su ira explotó–. ¿Es eso? ¿Crees que no soy lo suficientemente buena para ti?

Aquel hombre había hecho trizas las barreras con las que había protegido sus sentimientos durante seis años. Ella no había querido que le gustara, y mucho menos desearlo. Se resentía de la manera en que la había convertido en una mujer a la que apenas reconocía.

–¡Por supuesto que te deseo! ¿Qué crees que es esto? –bajó una mano para cerrarla sobre su impresionante erección.

Una feroz punzada de excitación atravesó a Chloe. Quería sentirlo, quería deslizar los dedos por la aterciopelada piel que recubría aquel miembro duro como el acero. Cerró los puños mientras el pulso que latía entre sus piernas adquiría un ritmo frenético, desesperado.

–Entonces, ¿cuál es el problema? –inquirió sin aliento–. ¿Te asusta que espere de ti más de lo que tú estás dispuesto a darme? ¿Crees que a la mañana siguiente me olvidaré de mi posición como subordinada tuya?

–No me importa cuál sea tu posición –gruñó Declan mientras se aproximaba a la cama.

–Entonces, ¿por qué no te gusto? –Chloe alzó la barbilla, desafiante.

–¿Quién ha dicho que no me gustas? –le espetó.

Chloe sintió que algo se le derretía por dentro ante aquella imagen tan eróticamente masculina. Había una crudeza elemental, un poder en bruto que irradiaba Declan incluso vestido de traje. En ese momento, desnudo, furioso y excitado, era sencillamente arrebatador.

–Si no soy yo, entonces tienes que ser tú –le dijo ella–. ¿Qué es lo que te da miedo, Declan?

–Yo no tengo miedo.

Y, sin embargo, Chloe vio una extraña emoción dibujarse en sus rasgos. Al instante, su furia desapareció. Había algo allí, algo que lo torturaba... pero que no admitiría por nada del mundo.

–Entonces, demuéstramelo. Sube a la cama.

Por unos segundos la sorpresa paralizó sus rasgos, hasta que esbozó una sonrisa que parecía más de dolor que de placer.

–¿Qué pasa? ¿Pretendes satisfacer las necesidades de un lisiado? ¡Qué generosa eres!

¿Cómo podía pensar que había entrado allí movida por la compasión? Sacudió la cabeza. ¡Ella se estaba enamorando a marchas forzadas y Declan pensaba que ella simplemente se compadecía de él!

–Tú tienes de lisiado lo que yo. Pero, si te sirve de algo, finjamos que esto no tiene nada que ver contigo –sintió una punzada de dolor–. Imaginemos que si estoy aquí es para satisfacer mis propias necesidades –suspiró. Temía que, si revelaba sus sentimientos, él la rechazara al instante–. ¿Te facilita eso las cosas a ti y a tu ego?

–Chloe, yo...

–No, Declan. Por favor –de repente se sentía demasiado débil. Se abrazó, desesperada. No podría soportarlo durante mucho más. Se estaba enfrentando a necesidades y emociones que habían surgido de la nada para irrumpir en su mundo seguro y estable. Y se enfrentaba además a demonios familiares de Declan de los que apenas sabía nada.

–Yo te deseo, Chloe. Llevo semanas volviéndome

loco, intentando reprimirme. La pregunta es: ¿realmente me deseas tú a mí?

–Sí –la palabra resonó solemne en el silencio de la habitación–. Absolutamente.

Clavaba sus ojos ciegos en ella como buscando su confirmación. Avanzó entonces un paso y se subió a la cama. Se tumbó boca arriba, con los brazos estirados y las palmas apoyadas en la colcha.

Chloe sintió un calor aleteándole en el estómago. Con su pierna herida y la cicatriz de la mejilla, era el hombre más deseable que había visto jamás.

–Dime lo que llevas puesto –su voz pareció acariciarle la piel. Entrelazó las manos detrás de la cabeza. El movimiento acentuó los abultados músculos de sus hombros y de sus brazos.

–Una bata.

–De seda.

–¿Cómo lo sabes? –ella titubeó de pronto. La estaba mirando directamente, como si pudiera verla.

–Suena a seda, como un susurro sobre tu piel cuando caminas.

Sacudió la cabeza. Ella no podía oír tan bien como él, con la sangre atronándole los oídos.

–Estás preciosa.

–No sabes qué aspecto tengo –nunca se había sentido una mujer especialmente glamurosa ni atractiva.

–Conozco tu rostro, ¿recuerdas? –sonrió–. Dejaste que te tocara. Recuerdo tu piel suave, tu nariz recta y el contorno de tu boca. Una boca hecha para ser besada.

Sus palabras hicieron saltar chispas de calor en el interior de Chloe. Entreabrió los labios, expectante.

–Pero estarás más hermosa aún sin la bata –murmuró él–. Quítatela –la pura lascivia de aquella orden la privó de todo pensamiento. La seducía con su voz vibrante–: Ahora, Chloe. Te quiero desnuda.

Le temblaron los dedos mientras se desataba el nudo del cinturón. Al fin lo consiguió. Se encogió de hombros y la bata resbaló hasta el suelo. La sonrisa de Declan se amplió.

–Excelente. Acércate.

Chloe ya estaba subiendo a la cama, con el corazón en la garganta.

–Deja de darme órdenes, Declan. En este momento no eres mi jefe.

Se arrodilló junto a él, con las manos apoyadas en la colcha de seda negra y oro. Inclinándose, le besó una rodilla. Luego siguió otro beso, unos centímetros más arriba. El tercero rozó la cicatriz que le recorría el muslo.

–¡No! –la agarró y quiso tirar de ella–. No tienes por qué hacerlo. Ahí no.

Pero Chloe se resistió.

–Es mi turno, Declan –declaró, y depositó otro beso, todavía más arriba, en el duro músculo de su muslo. Lo sintió temblar bajo sus labios mientras los dedos de Declan se hundían en su pelo, acariciándolo.

–Es tan suave como la seda –murmuró él, y Chloe experimentó una sensación de triunfo. Aquella desesperada magia era compartida.

Le acarició con la nariz la cara interior de un muslo. El siseo de su aliento resonó en sus oídos.

–No eres tan mandón ahora, ¿eh? –subió una mano hasta su miembro duro como una roca, deslizando los dedos por su piel suave y ardiente. Repitió entonces la caricia con la boca: un tierno beso al principio, antes de recorrer toda su impresionante longitud con la lengua.

Un fuego se encendió en su interior. El ávido pulso que latía entre sus piernas se aceleró. Ansiaba...

–No –Declan la agarró de los hombros y tiró de ella hacia arriba–. No puedes.

–Puedo, Declan, y quiero –era cierto. Lo había probado una vez y quería más. Se relamió los labios, paladeando su sabor.

Pero él seguía agarrándola, sacudiendo la cabeza.

—No —su voz era un ronco murmullo—. No duraré nada si haces eso —pronunció, tenso. Parecía estar sufriendo.

—¿Necesitas durar? —le acarició una mejilla. El pensamiento de Declan Carstairs entregándose por completo a la magia de aquel momento la embriagaba de excitación—. Yo quiero que pierdas el control —volvió a bajar la mano y se apoderó de su miembro.

—¡Espera! —masculló la orden mientras rodaba al otro lado y se estiraba para sacar algo de la mesilla.

Chloe lo soltó, reacia. Cuando se volvió de nuevo hacia ella, llevaba puesto un preservativo. Al verlo, el corazón le dio un enorme vuelco. Apenas podía creer que se estuviera entregando a un hombre por primera vez en seis años. El único hombre desde... Pero ya no había marcha atrás. Entregarse a Declan era tan inevitable como que saliera el sol a la mañana siguiente. Deslizó los labios por su mandíbula, necesitada de aspirar su aroma, de sentir su sabor en la lengua.

Tumbado como estaba boca arriba, la atrajo hacia sí. Su erección presionaba contra su sexo, gruesa y ardiente, y Chloe sintió que se incendiaba por dentro. Se dejó caer mientras él empujaba hacia arriba, en un lento y fluido movimiento. Cuidadosamente, casi con ternura, entró en ella.

Chloe se estremeció por entero, aferrándose a sus fuertes hombros para sostenerse.

—Chloe... —susurró.

Parecía tan estupefacto como se sentía ella. Nada en su recuerdo podía igualarse a la belleza de aquel momento. Pero sus músculos internos se tensaron y el momento pasó. Declan la agarraba de las caderas mientras empujaba hacia arriba, y ella perdió el aliento ante el exquisito placer de su posesión.

La urgió a echarse hacia atrás. Sus manos recorrían sus senos, y el roce de sus duros dedos en sus erectos pezones era una pura maravilla. La marea de sensaciones, de desesperada necesidad y de entusiasta reacción fue abrumadora. Declan la urgía a elevarse más, a apresurar el ritmo, y ella lo complacía encantada. La presión crecía con cada embate de sus caderas. Chloe se sentía marcada, poseída, y sin embargo adorada, venerada.

Las fuertes manos de Declan la acariciaron con ternura mientras se vertía en su cuerpo con urgente desesperación.

—Lo siento –jadeó–. No puedo... esperar.

Chloe sintió la explosión de un fuego dentro de sí, que la arrastró al éxtasis.

—Bésame. Por favor.

La voz de Chloe en la oscuridad lo sacó de su feliz y agotado estupor. Su tono no era ya el de la eficiente ama de llaves. Sonaba... como se sentía él: soñoliento, saciado... y asombrado. Como si el mundo se hubiera salido de su eje. Por un momento, casi creyó distinguir un temblor de luces y sombras.

Sintió luego sus manos cerrándose sobre sus hombros, el cosquilleo de su cabello. Al instante sus terminaciones nerviosas, que todavía acusaban el cataclismo del orgasmo, volvieron a la vida.

—Me encanta tu pelo –susurró mientras se lo acariciaba–. Deberías llevarlo suelto todo el tiempo.

La deseaba continuamente. Pudo escuchar su sonrisa cuando ella se inclinó sobre su rostro, acariciándole la piel con su aliento.

—Me estorbaría.

–A mí no –enredó una mano en sus mechones.

–Y tus deseos son órdenes, ¿no?

–Hablas demasiado –gruñó, acercándola hacia sí. Sus labios, suaves como pétalos de rosa, se fundieron con los suyos.

Lo recorrió un temblor. Su boca se adaptaba perfectamente a la suya, abriéndose dispuesta para que él deslizara la lengua en su dulce interior. Le impresionaba profundamente que besar a Chloe fuera una experiencia tan única, tan insólita. Su sabor era adictivo. Tomándola de la nuca, profundizó el beso.

Un gruñido de ansia escapó de su garganta. Necesitaba tanto besarla... La estrechó en sus brazos, saboreando la mezcla de sus alientos. Una sensación de gozo y euforia le subió por el pecho. Allí en lo oscuro, envuelto en su aroma y en su sabor, Declan experimentaba una intimidad que jamás antes había conocido. Como si sus más secretos anhelos se hubieran hecho realidad. En ese preciso instante tomó una decisión. Chloe sería suya. Y no solo por una noche.

Capítulo 7

EL TAMBORILEO de la lluvia en el tejado la despertó. El cielo estaba gris. Era tarde, demasiado para quedarse en la cama. Vagamente recordó haberse despertado temprano, saciada y feliz en los brazos de Declan, solo para ver renovada su pasión cuando él empezó a sembrarle de besos la cara y el cuello.Se le aceleró el pulso al recordar el acto amoroso del amanecer. Los movimientos de Declan habían sido lentos y devastadoramente precisos, hasta que ella había gritado su orgasmo, aferrándose a él. Se había quedado dormido momentos después de que su clímax lo hubiese derrumbado en sus brazos, agotado.

Nunca había dormido tan profundamente como con Declan. Pero debía de ser media mañana. Se deslizó sigilosamente hacia el borde de la cama, procurando no despertarlo. Pero una mano la detuvo:

—¿A dónde vas?

—Ya es hora de que me levante. Es tarde.

—No te vayas —la atrajo hacia sí, rodeándola con un brazo.

Le encantaba arrebujarse contra él. Sacudió la cabeza, maravillada. ¿Cuántas veces habían hecho el amor? Y su cuerpo seguía derritiéndose de deseo cada vez que lo tocaba. Todo aquello era demasiado nuevo para ella. Necesitaba tiempo para asimilarlo. Mientras pensaba sobre ello, Declan se movió y ella sintió el ardiente contacto de su erección en un muslo.

–¡Eres incorregible!

–¿Es una queja?

–No, pero necesito levantarme. No puedo quedarme todo el día aquí –aunque la idea resultaba tentadora.

–¿Por qué? ¿Qué cosas tan importantes tienes que hacer?

–Las habituales. Limpiar, cocinar, hacer la compra...

–Nada que no pueda esperar –deslizó un dedo a lo largo de su mejilla y ella casi ronroneó en voz alta–. Excepto las compras. Saldremos después. Ya casi se me han agotado los preservativos.

Chloe soltó una carcajada. El pulso que sentía latir entre sus piernas se aceleró. Durante años se había olvidado de que la pasión física existía. Y en ese momento se encontraba a su merced por culpa de Declan. Contempló su sonrisa traviesa, advirtiendo de nuevo que parecía mirarla directamente a los ojos pese a que no podía verla. Era como si, estando ciego, pudiera percibirla. ¿Percibiría también que, a pesar de la maravilla del sexo, lo que ella sentía por él no era simplemente físico?

–De verdad que tengo que levantarme –la voz le salió débil.

–¿Por qué? ¿Es que tu ogro de jefe te va a someter a un tercer grado por haberte retrasado? –sonrió.

–Mi ogro de jefe probablemente tendrá una montaña de correos electrónicos esperando a que los revise. Después de que le haya preparado el desayuno.

–Umm, el desayuno. Ahora que lo mencionas, tengo hambre –bajó la cabeza hasta su seno y empezó a succionar el pezón todavía duro, mordisqueándolo suavemente.

–Declan... –lo empujó por los hombros, medio distraída por las sensaciones que le evocaba. Finalmente él se apartó, con un brillo de deseo en las profundidades de sus ojos oscuros.

–Quizá tengas razón en lo del desayuno. ¿Qué comida hay en la bandeja que trajiste anoche?

–Fruta. Pero necesitarás algo más sustancioso. Voy a...

–Tú no vas a ninguna parte, Chloe. Aún no. ¿Siempre estás tan dedicada a tu trabajo o es que andas buscando algún motivo para escaparte?

El humor abandonó su voz mientras recuperaba su ceño habitual. A Chloe le entraron ganas de borrárselo con una caricia. Le recordaba su violenta reacción de la noche anterior, cuando creyó que ella había ido a buscarlo por pura compasión.

–Por supuesto que no quiero escaparme.

La soltó lentamente. Lo que sentía Chloe era tan intenso, tan desconcertante... Aquellas últimas semanas habían sido como una montaña rusa que los había ido acercando mutuamente en cada curva, en cada giro. Lo prudente era encontrar tiempo para estar a solas y reflexionar sobre sus sentimientos. Pero no quería ser prudente. No quería pensar en las barreras que los separaban: el estatus y el poder de Declan, o su propio papel como empleada suya.

–Es simplemente que tengo trabajo que hacer.

–Tómate el día libre. Órdenes de tu jefe –le puso un dedo sobre los labios para acallar su protesta. Luego volvió a tumbarse y la acercó hacia sí, haciéndole apoyar la cabeza sobre su hombro y rodeándole posesivamente la cintura con un brazo.

Chloe se dio cuenta de que él deseaba su compañía tanto como su cuerpo. Recordaba cómo la había buscado antes, incluso cuando no había tenido ninguna tarea que encargarle. Sintió un temblor de excitación. Quizá parte de lo que ella sentía fuera compartido.

–¿Cómo es que te convertiste en ama de llaves, por cierto? ¿No eres un poco joven?

–¿Tú crees? ¿Sabes tú mucho de amas de llaves? –intentó dar un tono ligero a la conversación–. ¿Has seducido a muchas?

–Tú eres la primera. Pero yo no lo llamaría seducción, sino más bien explosión recíproca –se interrumpió como esperando a que ella dijera algo–. Y sí, crecí rodeado de amas de llaves, aquí y en la casa de mi familia en Sídney. Mis abuelos también tenían. Mujeres severas, prácticas y con delantal –le acarició la cintura–. Tú no encajas en ese molde, Chloe Daniels.

–No importa. Es lo que siempre he hecho.

–¿Siempre supiste que querías hacerlo?

–No, en realidad nunca supe lo que quería hacer –respondió ella–. Excepto cuando era una adolescente y quería ser rebelde.

–Eso es normal. Yo solo tenía dieciocho años cuando rompí con mi padre para no tener que meterme en el negocio familiar. ¿Cómo te rebelaste tú?

Chloe se sonrió. Le sorprendía lo bien que se sentía compartiendo su pasado con él. Se abrazó con fuerza a su pecho y se vio recompensada con un murmullo de aprobación.

–Yo me crié en un ambiente completamente diferente del tuyo. Con doce años estaba en una banda de grafiteros y me pasaba la mayor parte de las noches en callejones oscuros y estaciones abandonadas de tren.

–Nunca dejas de asombrarme –Declan sacudió la cabeza–. Eso es tan distinto de la imagen que proyectas...

–¿Y cuál es esa imagen?

Le acarició un costado y Chloe se estremeció, deleitada.

–La de una mujer eficiente, competente, de confianza –subió la mano hasta sus senos–. Deliciosa, sexy...

–¡Basta! –le agarró la mano. Por muy tentada que se

sintiera, cada vez que se entregaba a él era como si perdiera un poco más de independencia.

–Debiste de darles más de un disgusto a tus padres.

–No vivía con mis padres. Era una niña de acogida –apretó los labios, bloqueando los recuerdos de sus numerosos cambios de residencia. La desesperada incertidumbre, la esperanza y el miedo a tener que cambiar de casa de acogida cada vez que las cosas no funcionaban. Rara vez hablaba con nadie de su infancia.

–Eso debió de resultar muy duro.

Chloe se encogió de hombros, evocando la presión a la que se había visto sometida para mostrarse sumisa, bien dispuesta y sobre todo servicial, por muy duro que hubiera sido su nuevo escenario.

–Salí adelante. Cuando acabé los estudios, me puse a trabajar en un hotel haciendo camas y de ahí pasé al sector de las amas de llaves.

No necesitó explicarle que ese fue el único trabajo que pudo conseguir con tan pobres resultados académicos. La escuela y ella nunca se habían llevado bien, al menos hasta que fue a parar a la casa de Ted y Martha. Solo entonces empezó a florecer gracias a su extremada bondad.

–¿Cómo pasaste de eso a dirigir un lugar como Carinya?

Su pasado y el de Declan eran tan diferentes... El de él, una historia de éxitos casi desde el principio. El suyo, precisamente el opuesto, hasta que conoció a Ted y Martha, y luego a Mark. Declan no trabajaba porque necesitara el dinero, sino porque le encantaba el mundo de los negocios. Para ella, en cambio, el trabajo era una necesidad. Necesitaba hasta el último céntimo de su generoso salario para pagar la carísima clínica de rehabilitación de Ted. Y algún día, cuando hubiera ahorrado lo suficiente, abriría un negocio de catering.

–Trabajando duro. Estaba decidida a salir adelante.

Cualificándome mucho. Hice tantos cursos de catering y de hostelería que sería capaz de preparar una comida *cordon bleu* para veinte personas, si me lo pidieras. O una tarta de boda de varios pisos –se interrumpió de golpe, acometida por la náusea que le provocaba la idea de organizar un banquete nupcial para Declan y alguna novia suya–. Y también tuve suerte.

–¿De veras?

–¿Por qué quieres saberlo? No es particularmente interesante –Chloe no estaba acostumbrada a hablar de sí misma. ¿Temía acaso que, contándoselo, pudiera ahondar el abismo social que los separaba? ¿Tan cobarde era?

–Yo estoy interesado, Chloe.

La besó en los labios y Chloe sintió que algo se le derretía por dentro. La tensión que le había provocado recordar su desastrosa infancia desapareció. ¿Había algo en aquel momento que fuera más importante que compartir sus confidencias con Declan? Ya se había abierto a él, ya le había dejado entrar. Necesitaba el coraje de seguir adelante.

–Estuve trabajando en un selecto hotel de Sídney en el que se alojó Damon Ives.

–¿El actor?

Chloe asintió, recordando el entusiasmo que despertó su visita entre la plantilla del hotel, coincidiendo además con su primera nominación a los Oscar.

–Sí. Yo era la encargada de su suite. Se quedó durante un mes y luego me ofreció un empleo.

–¿En serio? –Declan dejó bruscamente de acariciarla y Chloe detectó un tono de desaprobación en su voz.

–Sí, en serio –se tensó. No era la primera vez que alguien sospechaba de su relación profesional con uno de los actores más atractivos y carismáticos del país–. Y antes de que te precipites a sacar conclusiones, Declan Carstairs, permíteme decirte que lo impresioné con mi talento profesional cuando necesitó de alguna ayuda extraordinaria. Eso es todo –se volvió, incorporándose sobre un codo, para ver bien el rostro de Declan.

–¿He insinuado yo lo contrario? –enarcó las cejas.

–Has sospechado. Te lo he notado en la voz.

–¿Eres capaz de adivinar el pensamiento, Chloe? –esbozó una media sonrisa.

–Se te ha notado perfectamente –se sorprendió de lo mucho que le dolía esa sospecha. De la facilidad con que las palabras de Declan podían herirla.

–Me disculpo entonces –tomándola suavemente de la nuca, la acercó hacia sí–. ¿Me perdonas?

Le rozó los labios con los suyos y Chloe se quedó sin aliento, consternada ella misma por el poderoso impulso que sintió de refugiarse en sus brazos.

–Por favor, Chloe... –le besó una comisura de la boca y le lamió el labio inferior.

Se rindió con un suspiro de placer. Sin embargo, cuando las manos de Declan se movieron deliberadamente, una hacia un seno y la otra hacia su trasero, ella se dio la vuelta. El sexo con él era maravilloso, pero lo que ella quería realmente era el consuelo de su abrazo, no la fusión de sus cuerpos. ¿Acaso estaba loca por creer que aquello podía llevar a alguna parte?

–¿No quieres?

Chloe no pudo por menos que sonreírse ante la decepción de su tono.

–Pronto –le prometió. Pese a su cautela, era consciente de que no podría resistirse por mucho tiempo. Háblame de ti –lo urgió, deseosa de que se confiara con ella de la misma manera que ella lo había hecho con él.

–No hay nada que contar. Mi vida es como un libro abierto.

–¿De veras? ¿No hay absolutamente nada que quieras compartir conmigo?

Declan sacudió la cabeza.

—No, aparte del hecho de que he estado soñando despierto con mi ama de llaves. Ensoñaciones en las que la desnudaba.

—¿En serio? —alzó una mano hasta su rostro, acariciándole la mejilla de la cicatriz. Se recordó que era un hombre especialmente reservado. Pero ¿qué le habría hecho ser así?

—En serio. Tiene un tono de voz formal y recatado que me excita terriblemente. Solamente oírla leer las notas de una reunión me pone a cien —de repente le cubrió la mano con la suya, apretándosela contra la cicatriz—. ¿De verdad que no te desagrada esto?

Su tono ligero había desaparecido de golpe. Por primera vez pudo detectar Chloe un asomo de emoción en su voz.

—Ya te he dicho que no —sintió un nudo en el pecho al leer la confusión en su rostro, la desolación.

Había querido conocer al Declan real; pues allí estaba. El accidente le había cambiado la vida y las cicatrices eran precisamente lo de menos.

—Tus heridas... ¿te dolieron mucho?

—No.

«Mentiroso», pronunció Chloe para sus adentros. Más de una vez lo había sorprendido luchando contra el dolor, cuando se había forzado hasta el límite en sus ejercicios de rehabilitación. Necesitaba consolarlo a él y a sí misma. Declan había perdido tanto... Y ella... ella temía haber perdido el mundo seguro y tranquilo que se había construido hasta que aquel hombre misterioso y frustrante irrumpió en su vida. Apoyó la cabeza sobre su hombro, pasándole un brazo por el pecho y cruzando un muslo sobre sus piernas, como si quisiera protegerlo de los demonios que lo acosaban.

Pero... ¿quién podría protegerla a ella, ahora que las

defensas que tanto le había costado levantar tras la muerte de Mark se habían derrumbado?

–¿Chloe?

Declan la sintió pestañear contra su pecho. ¿Eran lágrimas lo que le humedecía la piel? ¿Estaba llorando? Aquello lo desconcertó completamente. Nadie había llorado jamás por él. Debía de haberse equivocado.

–¿Te encuentras bien? –le preguntó con voz ronca.

–Perfectamente –lo abrazó con mayor fuerza–. Debió de ser un accidente horrible –murmuró–. Porque los dos pudisteis morir.

Instantáneamente, Declan se tensó. Chloe no añadió nada más: simplemente continuó abrazándolo. Se había guardado la verdad de aquel día para sí mismo. Desde el accidente había mantenido a distancia a sus amigos.

–Fue terrible –dijo al fin con la voz ronca de dolor–. Como una pesadilla.

Lo recordaba todo como si hubiera sucedido a cámara lenta. Las palabras de Adrian, la manera en que cortó la cuerda... Abrazó con fuerza a Chloe, consumido por la culpabilidad.

–Fue una ascensión dura. Demasiado –debió de haberse imaginado que después de haber pasado años dedicado a la buena vida en Londres, Adrian no se encontraría en la forma adecuada, pese a sus protestas en sentido contrario–. No tengo disculpa.

–¿La necesitas? –su aliento le acarició el vello de los brazos.

No tenía disculpa, ni perdón.

–Yo soy... yo era el mayor, el más experimentado.

–¿Y tu hermano siempre hacía lo que tú le decías?

Esbozó una mueca ante el pensamiento de Adrian siguiendo un consejo suyo. Siempre había hecho las cosas a su manera. Había sido casi tan tozudo como su padre, o como el propio Declan.

–¿No caísteis juntos?

–No. Solo mi hermano. Esto... –señaló sus ojos y la cicatriz– me lo hice cuando descendí para intentar llegar hasta él.

Dijeron que Adrian nunca habría sobrevivido a la caída, pero Declan decidió quedarse con su hermano hasta el final.

–Hiciste todo lo posible. Nadie te habría podido pedir más –se incorporó para besarlo. Al hacerlo, le rozó el pecho con los pezones y él la abrazó con avidez, estrechándola contra sí.

Chloe era la única cosa real, la única cosa sana que había en el mundo. Ella era su puerto seguro contra las pesadillas y los gritos de su conciencia. Había dejado morir a su hermano y todavía no había encontrado a la mujer responsable de su muerte. Quizá, si conseguía hacerlo, ello pudiera compensar de alguna forma su fracaso. Pero con Chloe en sus brazos, aquel terrible dolor se atenuaba.

Se apoderó de repente de su boca, exigiendo una respuesta que casi temió que ella no pudiera darle. Pero, como si hubiera percibido su desesperación, Chloe se entregó por entero. No protestó cuando él se cernió sobre ella, le abrió las piernas y se hundió en su delicioso calor. Ni siquiera se quejó cuando, sin preparaciones previas ni delicadeza alguna, la penetró con fuerza una y otra vez. En lugar de ello, le rodeó la cintura con las piernas para pegarse todavía más a él. Y se adaptó a su ritmo primario, desesperado, hasta que el fuego que le corrió a Declan por las venas le hizo olvidarse de todo y solamente quedaron ellos dos en el mundo.

Se despertó lentamente, reacio a abandonar aquella increíble sensación que procedía de un cuerpo saciado, una cálida mujer junto a él y una cama cómoda. Aunque no se trataba de una mujer cualquiera, sino de Chloe. Su Chloe.

Lentamente, se deslizó fuera de la cama, consciente de que si se quedaba la despertaría, exigiéndole más. Y sabía que necesitaba dormir. Sacudió la cabeza. Jamás había vivido nada parecido al cataclismo sexual que acababan de compartir: la intensidad de cada caricia, de cada beso, de cada estremecedor orgasmo. Se frotó la nuca, esbozando una mueca. Podía intentar convencerse de que la ceguera tenía sus compensaciones: la agudización de sus otros sentidos daba un nuevo significado al deleite físico. Pero, en el fondo, sabía que la diferencia estribaba en Chloe.

Ella se negaba a dejar que se hundiera en un pozo de culpabilidad y dolor. Lo arrastraba de nuevo hacia la luz, haciéndole desear más. Haciéndole concebir esperanzas. Nunca hasta ese momento se había sentido tan dependiente de una mujer. Jamás, ni en su más alocada juventud, había perdido el control de aquella manera. Y eso lo preocupaba. Era mejor que se levantara de una vez, antes de que decidiera cambiar de idea. El sol ya estaba alto. Podía sentir su calor en su cuerpo desnudo mientras bajaba las piernas de la cama. Podía...

Se quedó paralizado. Inspiró profundamente una vez. Otra. Clavó los dedos en las sábanas. ¿Se trataría de alguna ilusión? ¿O acaso habían tenido razón los médicos? Había despreciado durante tanto tiempo sus esperanzas... Y, sin embargo, allí estaba: una rendija de luz. Podía ver la luz. Si levantaba la cabeza, la luz hasta lo deslumbraba, demasiado brillante para sus debilitados ojos.

Se apresuró a bajar la mirada y se llevó otra sorpresa: veía el suelo de madera encerada. La alfombra tejida a mano, de color negro y oro. Sus propias piernas desnudas. La ancha cicatriz que le recorría un muslo. Casi tenía miedo de cerrar los ojos no fuera a tratarse de un sueño. Se obligó a hacerlo por fin, con el corazón latiendo acelerado de miedo y de esperanza. Los abrió lentamente y volvió a llevarse una nueva sorpresa. ¡Podía ver! Borroso, no perfectamente, pero podía ver. Tembló de los pies a la cabeza debido a la reacción. Necesitaba un testigo, alguien con quien compartir aquel descubrimiento. Necesitaba a Chloe. Se pondría eufórica, estaba seguro.

Apartó la sábana mientras se volvía hacia ella, a punto de pronunciar las palabras. Pero la frase se le desintegró en la lengua. Sintió una imprevista opresión en el pecho. No podía ser. Con un esfuerzo sobrehumano, se obligó a respirar de nuevo.

Frenéticamente recorrió con la mirada a la mujer que seguía dormida en su cama. Estaba vuelta hacia él, con el rostro levemente ruborizado. Sus largas pestañas eran más oscuras que sus cejas. Sus labios eran tan llenos como había esperado, enrojecidos en aquel momento, al igual que su cuello por el efecto de sus besos. Cerró los puños sobre la sábana mientras examinaba su nariz recta, el delicioso contorno de su mandíbula y la nebulosa masa de su cabello ondulado, de un rubio rojizo. Cerró los ojos con fuerza. No podía ser. Era imposible.

Y, sin embargo, antes de que volviera a abrir los ojos, supo que era ella. Una última mirada y se levantó de un salto de la cama. Había visto la foto en el teléfono de Adrian. Su sensual y soñolienta sonrisa había atormentado sus sueños durante demasiado tiempo. Su identidad había constituido un misterio que él se había propuesto revelar desde el momento en que Adrian se quitó la vida. Chloe Daniels era la novia de su hermano, la misma que su investigador privado no había podido localizar. No era de sorprender, ya que ella no había sido una visitante de Carinya, sino que había vivido allí. La amante de su hermano. Ella había sido la que había elegido a Adrian como objetivo para abandonarlo una vez que se enteró de que había perdido su fortuna. Y Declan había sido testigo de que su traición y su deserción habían empujado a su hermano al suicidio.

Una náusea le subió por la garganta mientras contemplaba el tentador cuerpo desnudo, con su obnubilada mente luchando contra una instintiva negativa. Aquello no podía estar sucediendo. No era real. Chloe era suya. Era especial. Lo que sentía por ella había logrado eclipsar años de escepticismo y desconfianza engendrados por la falsa acusación de paternidad de una avariciosa y manipuladora examante. Chloe le había enseñado a confiar otra vez. Lentamente, puso a funcionar su cerebro. La náusea se repitió y el mundo pareció tambalearse conforme todo empezaba a cobrar perfecto sentido. ¿Acaso no le había dicho Adrian que ella lo había dejado para buscarse un hombre rico? ¿Y no era Declan uno de los hombres más ricos de Australia?

Se apoyó contra la pared, asqueado. Chloe había manipulado sus sentimientos. Había ahuyentado las eternas dudas engendradas por el deficiente matrimonio de sus padres. Por primera vez, Declan había acariciado la idea de una relación a largo plazo. Sacudió la cabeza como rechazando la voz interior que le gritaba que Chloe era sincera. Pero la evidencia era innegable. Ella se había convertido en una compañía indispensable cuando más débil y dolorido había estado, cuando más bajas habían estado sus defensas. ¿Qué casualidad podía explicar que la mujer que le había robado el corazón a Adrian para luego rechazarlo se hubiera convertido después en la amante de Declan? Había dejado de creer en las casualidades cuando un lisonjero abogado le había presentado una multimillonaria demanda de paternidad por un niño que no era suyo. Abandonó bruscamente la habitación. Necesitaba tiempo y espacio para enfrentarse con aquella nueva pesadilla.

Porque la única realidad que existía en aquel momento en el mundo de Declan era el sonido de sus ilusiones derrumbándose a su alrededor.

Capítulo 8

EL MOTOR de un helicóptero despertó a Chloe. Estalló en su conciencia como un machacón recordatorio de la manera en que se le había acelerado el pulso cuando hizo el amor con Declan. Lo buscó instintivamente, pero la cama estaba vacía. Experimentó una punzada de decepción.

La vibración de las aspas del helicóptero sonaba tan cerca que debía de estar sobrevolando la propiedad. Abrió los ojos. El sol estaba alto; supuso que sería poco después de mediodía. Saltó fuera de la cama, solo para descubrir que le temblaban las piernas como si fueran de gelatina, después de aquella larga noche de amor. Se envolvió en la bata.

–¿Declan? –no recibió respuesta del baño. Se imaginó que debía de haber ido a recibir a su visitante.

Se encogió solo de pensar que la sorprendieran desnuda, recién levantada de la cama de su jefe. La noche anterior, no habían sido ni jefe ni empleada. Pero tampoco habían hablado del rumbo que podría tomar su transformada relación. Deseó que Declan estuviera en ese instante a su lado, para reconfortarla. La última noche había sido la culminación de semanas de tensión. Y, sin embargo, la profundidad de sus propios sentimientos seguía inquietándola.

Cuando Declan le confesó que sus heridas habían sido consecuencia de su intento por salvar a su hermano, a Chloe se le había desgarrado el corazón ante la enormidad de la tragedia y su desesperada demostración de lealtad. Había anhelado abrazarlo hasta borrar todas sus heridas, físicas y emocionales. ¿Lo amaba? El corazón le latía tan fuerte que por un momento llegó a amortiguar el ruido del helicóptero. Esperó a que la anegara el pánico. Pero, en lugar de ello, lo que experimentó fue una sensación de tranquilidad. No se arrepentía de nada.

Finalmente se acordó de que tenía que vestirse y se puso en movimiento. Ya casi había llegado a lo alto de la escalera cuando un movimiento en la ventana llamó su atención. El helicóptero había aterrizado en la pista que había al lado de la cancha de tenis. Dos hombres avanzaban hacia el aparato, con la cabeza gacha. A uno no lo conocía, pero el otro era inconfundible: anchos hombros, pelo negro despeinado por el viento, cuerpo impresionante, vestido con camisa oscura y tejanos. Caminaba cojeando, como si la pierna le doliera más de lo habitual. ¡Lo estaba abordando!

Se quedó lívida. ¿Declan se marchaba? Se aferró al alféizar de la ventana, consternada. Sacudió la cabeza con el estómago encogido. Aquello no podía estar sucediendo. ¿Tan fácilmente se estaba desentendiendo de ella? La ternura, la intimidad que habían compartido, ¿no había significado nada para él? En el último momento vio que se detenía y volvía la cabeza hacia ella como si pudiera verla. Pero enseguida subió al aparato, que no tardó en elevarse.

Parpadeó para contener las lágrimas, con una mano en la boca. No podía creerlo. Aunque se hubiera tratado de una emergencia, Declan no había tenido ninguna necesidad de marcharse sin despedirse. Se quedó mirando sin ver el lugar donde había visto por última vez el helicóptero, aturdida. Tenía la sensación de que, si se movía, se resquebrajaría como si fuera una estatua de cristal.

Algún tiempo después, sonó el teléfono. Dio un

salto, se ató bien la bata y fue a la habitación de Declan a recibir la llamada.

—¿Señorita Daniels?

Le flaquearon las rodillas y se dejó caer en la cama. Había esperado que fuera Declan.

—¿Sí?

—Soy Susie, de la oficina del señor Carstairs en Sídney. El señor Carstairs ha dejado instrucciones de que Carinya permanezca cerrada durante los próximos meses. El jardinero se quedará a cargo de la casa. Quiere verla en Sídney mañana.

—¿Por qué en Sídney?

—El señor Carstairs residirá aquí durante una temporada.

Chloe creyó detectar un timbre de entusiasmo en la voz de la joven. Podía imaginarse el revuelo que la llegada de Declan armaría entre los miembros femeninos de su plantilla. Se llevó una mano al pecho. ¿Era eso lo que había sido la noche anterior para él? ¿Simple sexo de circunstancias con una empleada bien dispuesta?

—¿Señorita Daniels? ¿Sigue ahí?

—Sí, disculpe.

—Bien. El señor Carstairs desea que se encargue de su apartamento. Residirá en Sídney hasta nueva orden.

Dos días de asombro habían dado paso a la furia. Dos días sin recibir una sola llamada de Declan. Todas sus instrucciones las había recibido a través de los empleados de su plantilla. Si los trabajos bien pagados no hubieran sido tan difíciles de encontrar, y, si no hubiera tenido tanta necesidad de costear el tratamiento de Ted, habría dimitido. Pero necesitaba volver a ver a Declan, saber lo que había pasado. Declan había irrumpido en su tranquila y ordenada vida y la había arrancado de sus raíces para luego marcharse, dejándola furiosa pero triste, dolida pero preocupada. Necesitaba hablar con él, aunque al parecer eso no iba a ocurrir pronto.

Una entusiasta multitud llenaba el enorme salón abovedado del apartamento de Declan. Como telón de fondo, la impresionante vista iluminada del puente de Sídney y la Casa de la Ópera. Las puertas de cristal que daban al jardín de la terraza estaban abiertas y los invitados visitaban aquel refugio de exuberante vegetación: esa noche había quedado transformado en punto central de la fiesta, con una enorme barra y velas flotando en la piscina. El ambiente rezumaba glamour, lleno de gente famosa. Afortunadamente, se había cambiado de ropa. En lugar de su atuendo habitual, falda, blusa y zapatos cómodos, llevaba un vestido de punto verde y tacones altos. Al menos no parecía completamente fuera de lugar, una vez que se había visto obligada a hacer de anfitriona.

Sonrió a la pareja que se hallaba a su lado, y que se estaba deshaciendo en elogios sobre la perspicacia para los negocios de Declan Carstairs, para callarse un incisivo comentario sobre su personalidad. Habían pasado dos horas y seguía sin hacer acto de presencia en su propia fiesta. Apretó la mandíbula, furiosa. Y, sin embargo, aquel comportamiento seguía sin encajar con el hombre al que había llegado a conocer tan bien. Aquello era un misterio.

–Señorita Daniels.

De repente encontró a su lado al responsable del equipo de catering. El hombre la miraba preocupado.

–Pronto se acabará el champán y no nos queda mucha más comida. Han venido por lo menos cincuenta personas más de las esperadas.

Chloe asintió. Ella misma se había quedado sorprendida del constante trasiego de invitados. Y no se marcharían pronto. No cuando no estaba el anfitrión para dar por terminado aquel evento. ¿Por qué habría decidido organizar Declan una fiesta tan grande? Eso tampoco concordaba con el hombre al que había conocido en Carinya. El hombre solitario que había valorado la intimidad por encima de todo.

–Que su chef utilice todo lo que tenemos en la despensa, o que traiga más provisiones. Lo que sea. El señor Carstairs cubrirá los costes. En cuanto al champán, pronto llegará más. Acabo de encargarlo hace un rato.

–Bien pensado –el hombre sonrió, y Chloe se alegró de tener un aliado en aquel mar de desconocidos. Durante los últimos días había procurado mantenerse ocupada, pero había sido como caminar por el filo de la navaja, con los nervios destrozados. Confeccionar una lista de invitados para una fiesta de postín había sido lo último que había necesitado en aquellos momentos.

–Revise la entrega. Si considera que no es suficiente, avíseme.

El hombre asintió con la cabeza y miró por encima del hombro.

–Creo que ha llegado nuestro anfitrión,

Se le erizó el vello de la nuca. Una ola de entusiasmo recorrió el apartamento. Todas las cabezas se volvieron hacia él. Chloe se giró en redondo. Allí estaba, diabólicamente carismático, con su chaqueta de etiqueta, su pajarita y el cabello cortado muy corto. El corazón empezó a latirle a toda velocidad. Se encontraba perfectamente, según parecía. ¿Cuántas veces había temido que hubiera sufrido una recaída? Le flaquearon las rodillas de alivio, pero enseguida renació la furia.

–¡Declan! –una rubia platino con un vestido sin tirantes, de lentejuelas plateadas, le plantó un beso en los labios. No pareció tener prisa alguna en romper el contacto. Ni él tampoco.

Chloe cerró los puños. Pudo escuchar el sensual ronroneo de su voz por encima del parloteo de la multitud.

–Vanessa... Qué alegría que hayas venido –le rodeó la cintura con un brazo mientras ella se apretaba contra él.

Colgada de su otro brazo, una espectacular morena embutida en un vestido rojo hizo un puchero a manera de protesta. Declan se apresuró a presentar a las dos mujeres, que parecían disputárselo. La multitud se adelantó. Declan sonrió y saludó a todo el mundo, charlando con fluidez. Chloe lo contemplaba fascinada: parecía encontrarse perfectamente cómodo en aquel escenario que apestaba a dinero y a éxito. Tan abstraída estaba que tardó un instante en registrar lo que estaba viendo: Declan estrechando manos sin la menor vacilación, reconociendo de inmediato a la gente que se le acercaba.

Declan podía ver. La sorpresa fue tan fuerte que volvió a quedarse sin aliento. Era fantástico, tan maravilloso que apenas podía creerlo. Pero no había ninguna duda por la manera en que interactuaba con sus invitados. Se tambaleó y tuvo que apoyarse en el brazo del responsable del catering. En aquel preciso momento Declan alzó la cabeza y la miró... como si pudiera verla realmente. La estaba viendo, de hecho. De nuevo le flaquearon las rodillas y se tambaleó.

–¿Se encuentra bien?

Asintió en silencio. Al otro lado del salón, los ojos oscuros de Declan seguían clavados en los suyos. Su sonrisa había desaparecido. No parecía el mismo hombre que la había acunado en sus brazos. Parecía un desconocido.

–Estoy bien –susurró, soltando al responsable del catering y apartando la mirada de Declan–. Vaya a revisar las mesas. Iré a la cocina en cuanto pueda.

El hombre se marchó y Chloe soltó un tembloroso suspiro, intentando tranquilizar sus nervios. Se sentía desgarrada entre la furia por el comportamiento de Declan y la euforia por su curación. Pero ¿cómo había recuperado la vista? ¿Cuándo? ¿Y por qué no le había dicho nada a ella?

El ruido de una copa al estrellarse le hizo volver la cabeza. Cerca de Declan varias personas se apartaron, mirando al suelo. En el silencio que siguió, Chloe alcanzó a escuchar su voz familiar:

–No pasa nada, Sophia. La plantilla se encargará de recogerlo. Para eso les pago –y miró directamente a Chloe, expectante.

Enarcó una ceja, en un claro gesto de impaciencia. No era una petición de ayuda, sino una orden imperiosa. Chloe sintió un escalofrío. Algo en su interior pareció cerrarse de golpe. Como una autómata, agarró unas servilletas y se abrió paso entre la multitud. ¿Así que eso era? ¿A eso se reducían los sentimientos de Declan por ella? Reprimió una náusea. ¿Realmente podía haberse equivocado tanto con él? Declan se había encaprichado de ella, pero aquello se había acabado. Chloe volvía a ser una insignificante empleada. Apretando los labios, se obligó a mantener la cabeza bien alta, ignorando la punzada de dolor que la atravesaba.

–Lo siento –murmuró la morena que se colgaba del brazo de Declan–. Se me ha caído la copa...

–No tienes que disculparte, Sophia. Te repito que la plantilla está para esas cosas.

Su mirada buscó de nuevo a Chloe, que experimentó una punzada de calor. Vio que los ojos de Declan se abrían un tanto, como si vacilara por un instante. Pero enseguida se giró hacia Sophia, tomando sus manos entre las suyas.

Un estremecimiento le recorrió la espalda. Estaba segura: él lo había sentido también. Chloe había percibido una cierta atracción en su mirada, no exenta de asombro. Pero enseguida la había rechazado, como si no significara nada. Verse despreciada por Declan era lo peor. Declan, el hombre que le había hecho volver a sentir. Porque, gracias a él, Chloe se había atrevido a esperar algo más que una vida de rutina y aislamiento emocional.

Había necesitado años de amor y de paciente comprensión de su familia adoptiva para convencerse de que se merecía que la quisieran. Se había esforzado mucho para superar sus inseguridades. ¿Y ahora iba a dejar que Declan la pisoteara? La única ventaja a su favor era que nadie podía enterarse de su humillación. Para aquella gente no era más que una simple empleada haciendo su trabajo.

Se agachó, aturdida. El vino teñía de rojo el suelo de madera encerada y el borde de una alfombra de color crema. Recogió con rapidez los cristales de la copa. Pero le ardían los ojos y no podía dejar de parpadear. Delante, a menos de un metro de distancia, podía ver los elegantes zapatos de Declan, los más caros del mercado. Y escuchar su voz, profunda e hipnótica, entreteniendo a su audiencia como si ella no estuviera allí, justo a sus pies. La asaltó el recuerdo del día en que se encontraron, cuando también se agachó ante él para recoger los restos de otra copa. La había disgustado lo arrogante de su actitud, cuando todavía no sabía que estaba ciego. Pero ya no lo estaba. Había recuperado su vida. Aquel era el verdadero Declan. Apretó los dientes. Cuando finalmente se levantó, le ardían las mejillas de furia.

–¡Oh, su vestido! Lo siento tanto...

Era la joven morena, que señalaba en ese momento la falda empapada de su vestido. Se había rozado con la mancha sin darse cuenta, Se suponía que debería sentirse agradecida de no haberse cortado también con los cristales.

–No pasa nada –murmuró, mirando consoladora a la mujer–. Ya saldrá la mancha –mientras tanto, iría a cambiarse y eso le daría la oportunidad de escapar a la presencia de Declan.

Para las tres de la madrugada, todo el mundo se había marchado. Chloe estaba sola en el apartamento, hasta que descubrió la rendija de luz en el despacho de Declan, señal de que se había refugiado allí.

¿Estaría solo o acompañado? Chloe pensó en la morena que se había pegado a él mientras se despedía de sus otros invitados. Se acordó de que había un sofá de cuero en el despacho, lo suficientemente largo como para acomodarse bien. Apretó los labios. No era asunto suyo con quién pasara su tiempo Declan.

Recogió algunas copas que se les habían despistado a los camareros del catering y las llevó a la cocina. No necesitaba terminar de recoger esa noche, pero carecía de sentido irse a la cama. Nunca conseguiría dormir. Tenía las manos hundidas en el agua caliente de la pila mientras fregaba las copas de cristal, cuando sintió un cosquilleo en la nuca. Se giró en redondo.

Declan se hallaba en el umbral. La cruda luz de la cocina le iluminaba la cicatriz. Se había quitado la chaqueta y llevaba abiertos los botones superiores de la camisa, revelando su pecho bronceado. Chloe se apoyó en el fregadero, tambaleándose. Por un momento la acometió la leve esperanza de que hubiera ido a buscarla para disculparse.

–¿Sí, señor Carstairs?

–Tenemos que hablar –entró en la cocina y se acercó a ella–. ¿Qué pasa? ¿Ya no me tuteas?

–Es evidente que no es apropiado.

Vio que volvía a enarcar aquella maldita ceja.

–¿Evidente?

–¡Oh, vamos...! –inspiró profundamente y se quedó

desconcertada al ver que bajaba la mirada al escote en uve de su vestido cruzado. Pero enseguida volvió a levantarla, apretando la mandíbula con expresión sombría.

Quiso preguntarle cómo había recuperado la vista. Abrazar al hombre que recordaba que se escondía tras esa severa expresión. Solo que ahora se daba cuenta de que aquel hombre no había sido más que un espejismo. No había otra explicación para su comportamiento.

–Ya me has dejado muy clara tu posición. Y además tienes razón –le dijo, orgullosa–. Somos patrón y empleada. Lo que pasó entre nosotros fue un error.

–¿Un error?

–Y no se repetirá.

–¿Por qué? ¿Porque ya has puesto la mira en otro? –las palabras brotaron como dardos, furiosas.

–¿De qué estás hablando? –sacudió la cabeza. ¿Otro? El único hombre con quien había conversado durante aquellos últimos días era el responsable del catering.

Se le aceleró el pulso. Si Declan no se marchaba, se desmoronaría delante de sus ojos.

–¿Qué es lo que necesita, señor Carstairs?

Declan se acercó a ella, acorralándola contra la pila. Pero Chloe se negaba a acobardarse. Le sostuvo la mirada. Ella no había hecho nada malo.

–¿Crees que esto es todo lo que necesito? –un brillo peligroso ardía en sus ojos–. ¿Qué tal si admites tú lo que necesitas, Chloe? –su voz adoptó un tono seductor–. Nunca he conocido a una mujer a la que le gustara tanto lo que yo le daba.

Estaba ardiendo de vergüenza. Abrió la boca para decirle que a él le sucedía lo mismo, pero cambió de idea.

–Si no hay nada más, seguiré fregando. Es tarde –al ver que no se movía, añadió–: Ni necesito ni quiero nada de ti.

Intentó convencerse de que era cierto. O lo sería, si se marchaba de una vez. Acababa de meter de nuevo las manos en el agua caliente cuando él la tomó de los hombros y la hizo volverse.

–Eso es mentira, Chloe. Los dos lo sabemos –replicó, tenso. Parecía irradiar emoción contenida en oleadas.

No bien había abierto la boca para negarlo cuando unos dedos cálidos fueron a posarse sobre su seno derecho, con firmeza pero con suavidad. La sorpresa le quitó las palabras de la boca. La mano empezó a moverse, acariciando, frotando... Un solo contacto bastaba para despertar su anhelo. Una sola caricia y las piernas se le volvían de gelatina.

–¡No! –cerró una mano húmeda sobre su muñeca y tiró de ella. Fue inútil. Él continuó acariciándole el pezón a través del vestido.

–No mientas –inclinó la cabeza, impasible ante la otra mano que lo empujaba por el pecho.

Empezó a mordisquearle la piel entre el hombro y el cuello. Ni la rabia ni el dolor pudieron evitar la reacción de Chloe. La cabeza le daba vueltas. Declan besó luego aquella zona tan sensible y se la lamió.

–Sé que me deseas.

Se recordó que aquel hombre la había rechazado, despreciado. No podía desearlo. No podía.

–No –sacudió la cabeza mientras lo empujaba una vez más, desesperadamente. O quizá no tanto. Porque, en realidad, la mano que había apoyado sobre su pecho lo estaba acariciando–. No estoy disponible para un revolcón ahora que tus elegantes amiguitas se han marchado. Yo no soy una simple aventura.

–Ah, Chloe. Tú nunca fuiste una simple aventura. Tú fuiste... –murmuró mientras le besaba una comisura de los labios.

No tenía ningún lugar donde esconderse, acorralada

como estaba contra el fregadero. Sus fuertes muslos la rodeaban. Su excitación presionaba contra su abdomen. ¿Había dejado de forcejear? Un húmedo calor se concentró en su entrepierna cuando él introdujo una mano entre el escote de su vestido y el sujetador. Y se estremeció cuando él le pellizcó el pezón antes de lamerle el seno a través de la tela.

–Declan... –se suponía que eso era una protesta, pero su voz ronca la convirtió en súplica. Aquello era un error. Y sin embargo...

–¿Sí? –pasó a acariciarle los labios con los suyos y le mordisqueó el lóbulo de una oreja. Bajó la otra mano hasta la discreta abertura de su falda y, apenas unos instantes después, sus dedos rozaban la húmeda tela de la braga. Se apretó aún más contra ella–. Te gusta esto, ¿verdad, Chloe? –le susurró al oído.

Sacudió la cabeza, esforzándose por sobreponerse a las sensaciones y pensar. Su erección presionaba ya contra su sexo.

–Dímelo, Chloe. Dime lo que quieres.

–A ti –musitó en un sollozo–. Te quiero a ti.

Pero entonces él se apartó, bruscamente. Sintió frío y de repente se dio cuenta de que él le había soltado el nudo que sujetaba su vestido, que había quedado abierto, revelando su ropa interior. Alzó una mano, sin que supiera ella misma si era para arreglarse la ropa o para acariciarlo. En cualquier caso, la voz de Declan la detuvo.

–¡No! –la cruda negativa pareció cortar la niebla de sensual excitación–. Eso nunca volverá a suceder.

La fulminó con la mirada. Acto seguido giró sobre sus talones y abandonó la cocina.

Capítulo 9

AIRE. Necesitaba aire. Declan se alejó apresurado, empujó una puerta y salió disparado al jardín de la terraza. Finalmente, el aire abrasador llenó su pecho. Por un momento había temido morir de asfixia.

Se dijo que era un efecto de la furia. De su desprecio hacia la mujer que había traicionado a su hermano y lo había empujado al suicidio. Entre uno y otra eran responsables de la muerte de Adrian. Ella por empujarlo a la muerte y él por no haberlo evitado. ¿Y qué mayor traición para Adrian que acostarse con Chloe, que disfrutar de la felicidad que ella le había negado a su hermano? Sintió náuseas.

Chloe había intentado manipular a Declan, eligiéndolo como un objetivo fácil gracias a su ceguera y a su dolor. Había sido tan ingenuo... Hasta el final se había resistido a creer lo peor de ella. Y, sin embargo, seguía deseándola. ¿Cómo podía haber caído tan bajo? Había abandonado Carinya en estado de shock, incapaz de enfrentarse a la mujer que lo había destrozado. Por primera vez, había huido. Había pasado dos días seguidos sumergido en reuniones y citas médicas, para confirmar que la recuperación de la vista sería permanente. Pero, en realidad, había estado evitando a Chloe. Porque no había querido enfrentarse al momento en que ella le confirmara la verdad con su propia confesión.

Apenas hacía unos segundos, en la cocina, la deses-

peración lo había consumido. Había querido apoderarse
de su dulce boca y perderse en su adictivo y pecami-
noso cuerpo. Deseaba a la mujer que había conocido en
Carinya. La mujer a la que podía incluso... amar.

¿Amar? Se había enamorado locamente de una fantasía. Chloe había puesto la mira en él cuando se enteró
de que Adrian había perdido su dinero con el fracaso de
su negocio de Londres. Qué oportuno había sido para
ella que Declan, más rico de lo que habría podido serlo
nunca Adrian, hubiera aterrizado en Carinya. No había
tenido escrúpulos en pasar de un hermano a otro. Pero
entonces... ¿por qué había retrasado su regreso a Carinya? ¿Acaso había temido que Adrian le hubiera hablado de ella? Se desabrochó la camisa mientras avan-
zaba hacia la piscina. Necesitaba agotarse. Su propia
debilidad lo ponía enfermo.

Se arrancó la camisa y se llevó las manos al pantalón, dispuesto a desnudarse y a desahogar sus frustra-
ciones en la piscina. Pero la vista de la piscina le hizo
detenerse en seco. La última vez que se había lanzado
al agua, había emergido para encontrarse con Chloe. Se
estremeció. De repente la piscina no presentaba el
mismo atractivo que antes. Con cada brazada, la sedosa
caricia del agua en su piel le recordaría su contacto.

Incluso ataviada con un sencillo vestido verde, Chloe
había destacado entre un mar de bellezas. Con su piel
blanca como el marfil y su cabello rubio rojizo recogido
en un elegante moño, había llamado inmediatamente su
atención. Y esa noche casi había perdido el juicio
cuando la descubrió haciendo arrumacos a un desconocido.

Cuando ella se agachó a sus pies para recoger los
cristales de la copa rota, siempre tan diligente, impasible, le habían entrado ganas de despachar a las mujeres
de las que se había rodeado como una barrera de pro-

tección contra ella. Había querido levantarla y abrazarla como un desesperado, y al mismo tiempo zarandearla por los hombros por haberse atrevido a tocar a otro hombre. Se había quedado paralizado, contemplando extático las diminutas pecas que salpicaban su nariz y sus mejillas y que le daban un aspecto casi inocente. ¡Inocente! Atravesó a largas zancadas el jardín, indignado.

Había ido a buscarla a la cocina porque su conciencia le había exigido plantarle cara al menos. Pero verla con aquel vestido que delineaba cada una de sus curvas le había hecho perder el control.

—¿Qué diablos ha significado eso?

Declan hundió las manos en los bolsillos del pantalón mientras oía su ronca voz a su espalda. Lentamente se volvió hacia Chloe. Ella no era ninguna cobarde. Lo había seguido al jardín casi inmediatamente. Se encontraba a un par de metros de distancia, con la cabeza alta. Seguía con el cabello recogido, pero con delicados mechones sueltos que enmarcaban su rostro como un halo. Y aquel vestido tan ajustado... Apretó la mandíbula. No iba a dejarse engañar de nuevo por ese truco.

—He dicho...

—Ya te he oído —Declan se encogió de hombros y observó con satisfacción que bajaba los ojos hasta su torso desnudo. Deliberadamente abrió los brazos y los apoyó en la barandilla, proyectando una tranquilidad que no sentía.

—¿No vas a explicarte? —le espetó ella, con voz no del todo firme.

—Creía que el significado de mis palabras estaba claro. No te tocaría ni aunque te metieras desnuda en mi cama —pero, incluso mientras lo decía, lo devoraban las dudas. Miraba su boca y recordaba la caricia de sus labios ardientes en su piel. Recordaba la manera en que se había agachado a sus pies aquella noche. No había sido la vista de sus delicadas pecas lo que lo había dejado paralizado, sino la idea de inclinarse hacia ella y...

–¿Por qué? ¿Porque me he atrevido a traspasar la línea para dejar de comportarme contigo como una empleada? –se abrazó, como si tuviera frío pese a lo caluroso de la noche. Pero le brillaban los ojos y mantenía alta la barbilla–. ¡No me dirás que tienes una regla para las mujeres y otra para ti! Una vez que posees a una mujer, le pierdes el respeto. ¿Es eso?

Le pareció leer una conmovedora vulnerabilidad en su rostro. ¿Se había imaginado que aquella boca tan sexy temblaba? No, era imposible. Solamente estaba fingiendo emoción.

No –inspiró profundamente–. Me gustan las mujeres. Pero tú no me gustas.

Vio que apretaba la mandíbula como si la hubiera golpeado. El pulso de la base del cuello le temblaba. Habría apostado a que incluso palideció. No sintió satisfacción alguna por ello, sino el impulso de disculparse.

–El sentimiento es mutuo –replicó ella–. Nunca he conocido a un hombre tan arrogante y grosero como tú, carente de los más mínimos modales.

–¿Te estás quejando de mis modales?

Para su sorpresa, Chloe se le acercó, con las manos en las caderas.

–¿Qué te pasa, Declan? ¡No tienes ningún derecho a hablarme de esa manera! Ni siquiera aunque hayas perdido todo interés por mí, ahora que ya has recuperado la vista.

–Oh, por favor, ahórrame esta escena de inocencia ultrajada.

Vio que alzaba una mano y se detenía en el último momento, como si hubiera estado a punto de abofetearlo. Extrañamente, Declan casi habría agradecido la bofetada. Como castigo no por su grosería, sino por su debilidad al seguir deseando a aquella mujer.

–Sé lo tuyo con Adrian.

Si le hubiera quedado alguna duda sobre la inocencia de Chloe, su instantánea reacción terminó de despejarla. Se había quedado lívida y lo miraba con ojos desorbitados. Experimentó una punzada de decepción. ¿Realmente había esperado que ella hubiera sido capaz de explicarle su comportamiento? Refrenó su emoción. Tenía que obligarse a seguir adelante y hacer lo que tenía que hacer. Se lo debía a Adrian, y a sí mismo.

–¿Qué es lo que sabes? –logró pronunciar Chloe, con la garganta en carne viva por las lágrimas que había estado conteniendo en la cocina. Lágrimas de furia y de humillación, de amargura y desprecio por sí misma, de decepción por el hombre que le había mostrado su verdadero carácter aquella noche. Ella se había entregado por entero, mientras que Declan simplemente había disfrutado del sexo.

–Todo.

Consternada, vio que Declan se le había acercado, con los brazos cruzados sobre el pecho desnudo, avasallándola. Una mujer más sensata se habría retirado, pero era como si los pies se le hubieran clavado al suelo. Se sentía aturdida, embriagada por tantos y tan contradictorios sentimientos que le costaba pensar. ¿Cómo podía saber lo de Adrian? ¿Acaso el propio Adrian le había confesado su comportamiento? Y, si era así, ¿por qué había esperado tanto para decírselo?

–¿Adrian... habló contigo? –le costaba creer que aquel hombre se hubiera confiado a alguien. Ella misma lo había urgido a hacerlo, consciente de que necesitaba ayuda. Una ayuda que ella no había estado cualificada para darle, sobre todo teniendo en cuenta el papel que su mente fantasiosa le había otorgado.

Adrian estaba enfermo. Se había negado a escucharla, mostrándose agresivo cada vez que ella le había sugerido que buscara ayuda.

–¿No niegas que lo conociste?

–Por supuesto que no. Se quedó en Carinya cuando volvió de Gran Bretaña, mientras tú estabas en China. Lo sabes perfectamente.

–Y, sin embargo, nunca hablas de él.

Chloe sacudió la cabeza, todavía desorientada por el cambio de tema. Ya antes de regresar a Carinya, había decidido que carecía de sentido remover el pasado. Nada habría ganado confesándole a nadie la obsesión de Adrian. Pero, en ese momento, Declan afirmaba saberlo todo.

–¿Qué quieres que te diga? ¿Qué es lo que puedo decir?

–¿Qué tal una disculpa? Sería un comienzo.

Chloe estaba asombrada. ¿Cómo podía ser que estuvieran hablando de Adrian y no de lo que había sucedido entre ellos?

–Ya te dije que lamentaba su muerte.

–¿Niegas tu papel en lo que sucedió? ¿No sientes ninguna culpabilidad?

–¿Qué quieres decir? –se lo quedó mirando asombrada–. Yo no le hice nada.

–Oh, eres buena. Muy buena –las palabras de Declan sonaron como balas–. Eres la viva imagen de la inocencia.

–Yo no tuve ningún papel en su muerte. Lo sabes perfectamente. Fue un accidente de montaña.

–No fue un accidente –un escalofrío le recorrió la espalda–. Se suicidó. Se suicidó por tu culpa.

Su dedo acusador la apuntaba directamente. Le dio un vuelco el corazón. Sin aliento, se llevó una mano al pecho.

–No. Eso no es cierto. No puede ser.

Pero Declan seguía mirándola en silencio. Chloe esperó a que se retractara y le dijera que no era verdad, pero no lo hizo. Y lentamente, como una fría y húmeda niebla, una horrible duda empezó a infiltrarse en su alma. Recordaba cómo el amable interés que le había mostrado Adrian se había transformado en acoso, en una invasión continua de su espacio personal. Hasta que había sido incapaz de seguir en Carinya. Con su hermano en China, no había habido nadie capaz de hacer entrar en razón a Adrian, o al menos de convencerlo de que buscara ayuda profesional. Nadie excepto ella, y cada vez que lo había intentado, él la había acusado de traición, echándole en cara que no lo amaba como él la amaba a ella. Se estremeció. ¿Realmente podía haber estado tan engañado por sus propias fantasías como para suicidarse?

–Dime que no es cierto –le suplicó, retorciéndose las manos–. Por favor, Declan.

Durante lo que le pareció una eternidad se la quedó mirando fijamente, en silencio. Cuando volvió a hablar, lo hizo con tono inexpresivo.

–Caímos juntos, pero llevábamos una cuerda de seguridad. Al final yo habría encontrado una manera de salvarlo –se interrumpió, pestañeando–. Él ya me había enseñado tu foto. Te había descrito con todo detalle –su tono se volvió ácido–. Se deshacía en elogios sobre la mujer de su vida. Me contó lo mucho que significabas para él. Lo perfecta que era vuestra relación.

Chloe fue a negarlo, pero Declan la agarró de un brazo. Sus dedos le quemaron la piel como si fueran de hielo.

–El día que escalamos, él estaba... distinto. Inquieto, nada animado. Luego, con el accidente, todo afloró. La verdad que me había estado ocultando... la manera en que lo traicionaste. La forma en que lo manipulaste para luego abandonarlo –le agarró la otra mano, atrayéndola hacia sí–. Adrian pensaba que, sin ti, la vida no merecía la pena. Por eso, deliberadamente, cortó la cuerda que lo ligaba a mí y cayó al vacío.

Un agudo grito cortó el aire, pero Chloe apenas lo reconoció como propio. Su mente estaba llena con la imagen que Declan acababa de pintarle: la del hombre desesperado que había caído a aquel abismo sin fondo. Por su culpa, según le había dicho Declan. Pero eso era absurdo. No era culpa suya. Y, sin embargo, se veía acosada por la horrorosa sospecha de que quizá, si ella hubiera hecho algo más, eso nunca habría ocurrido. Había pensado en presentar una queja por acoso a su jefe, pero dado que el acosador no era otro que su hermano, se había imaginado que con ello solo conseguiría perder su empleo. Había pensado también en acudir a la policía, pero había desechado una idea tan drástica. Al fin y al cabo, Adrian no le había hecho ningún daño. Había sido una cobarde. Si hubiera informado a alguien del cada vez más trastornado estado mental de Adrian, quizá habría podido evitar su muerte.

Se le heló la sangre en las venas. El Adrian que ella había conocido había sido un solitario: después de haber cortado con sus amistades de Londres, no había tenido ninguna prisa por hacerse con una vida social en Australia. Su hermano había estado lejos, al otro lado del mar, y Adrian se había conformado con pasar su tiempo en Australia. ¿Acaso había sido ella la única que había sido testigo de su proceso de autoengaño? ¿Había hecho mal al huir aquel día, cuando Adrian se propasó tanto con ella? No. Podía arrepentirse de no haber informado de las acciones de Adrian, pero no podía considerarse responsable de la fantasiosa relación que él había forjado en su cabeza. Una vez que abandonó Carinya y se enteró del ataque que había sufrido Ted, se había olvidado de todo excepto de su necesidad de estar junto a su adorado padre adoptivo. Era un hecho lamentable, sí, pero ella no tenía ninguna culpa.

Él seguía agarrándola de los brazos. Reacia, alzó la mirada a aquel rostro crispado de dolor y desolación. ¿La odiaba? ¿Y quién podía culparlo cuando pensaba que ella había empujado a su hermano al suicidio?

–Suéltame, Declan.

La soltó de inmediato. Pero no se apartó, sino que se quedó mirándola fijamente. Chloe respiró hondo.

–Necesito explicarte...

–¿Esperas que me crea tus explicaciones? Dispusiste de semanas para contarme la verdad y no lo hiciste –le dio la espalda y caminó hasta la barandilla. Su silueta se recortaba contra las luces de la ciudad–. Tus explicaciones no le devolverán la vida.

La cruda desesperación de su voz hizo que Chloe se detuviera en seco cuando ya había empezado a acercarse. Lo que tenía que decirle sobre su hermano le causaría dolor. Y, sin embargo, no podía dejar que la considerara culpable de su muerte.

–Declan, no es lo que tú piensas.

Su risotada cortó el aire de la noche.

–¿Tan ingenuo me crees, Chloe? Te conozco bien.

Ella dio un paso adelante, desgarrada entre su consternación por su dolor y la necesidad de hacer justicia. Porque incluso en aquel momento albergaba la frágil esperanza de que lo que había compartido con él hubiera sido especial.

–Tu hermano y yo no teníamos esa clase de relación.

Vio que echaba la cabeza hacia atrás, como para contemplar las estrellas medio ocultas por las luces de la ciudad.

–¿Estás diciendo que me mintió?

–Él te contó... su versión de la verdad. Tu hermano malinterpretó...

–No. No te atrevas a decirme que malinterpretó lo que había entre vosotros. Vi tu foto en su teléfono.

A Chloe se le heló la sangre cuando recordó haberse despertado una mañana para descubrir a Adrian en su habitación, fotografiándola en la cama. Fue la misma mañana en que tomó la decisión de abandonar Carinya.

–No era lo que parecía.

–¿Ah, no? –Declan seguía sin volverse–. ¿Me estás diciendo que vuestra relación era platónica? ¿Que ni siquiera os besasteis?

Chloe vaciló. Ella nunca había besado a Adrian, pero él sí que la había besado a ella, un día en que la acorraló en la despensa. Se había deshecho de él sin dar mayor importancia al incidente. Quizá había sido aquel su primer error. Quizá si hubiera exteriorizado lo mucho que eso la había escandalizado, en lugar de mantener una apariencia de dignidad...

–Supongo que mi hermano y tú tampoco compartiríais confidencias.

Chloe recordaba a Adrian entrando en la cocina cuando ella estaba trabajando, contándole historias de su vida en Londres y de sus planes de retomar sus negocios. Antes de que se hubiera dado cuenta de sus intenciones, ella le había hablado de su sueño de montar una empresa de catering.

–Hablábamos, pero...

–Hablabais. Os besabais. Y ahora supongo que me dirás que la mujer de la foto del móvil no eras tú, en la cama.

–¡Sí, era yo! –estalló–. Pero me la sacó sin mi permiso. No tenía ningún derecho.

–¿No tenía derecho a esperar lealtad de su amante? –Declan se volvió para mirarla con una expresión feroz.

Pero si Declan creía eso, ¿por qué no la había echado?, se preguntó Chloe. ¿Por qué había esperado tanto para decírselo?

–Es curioso –murmuró él–. Cuando vi tu foto, pensé que mi hermano era un hombre con suerte. Cambié de idea cuando descubrí lo manipuladora y mercenaria que eras. Pero, cuando recuperé la vista y te vi en carne y hueso aquella primera vez, comprendí perfectamente su atracción.

–¿Aquella primera vez? –las palabras se le atascaron en la garganta.

–En Carinya.

–¿Lo sabías... entonces? –frunció el ceño, aturdida.

–Sí.

Chloe pudo leer el desprecio en aquellos ojos oscuros que antaño habían ardido de ternura. El dolor la atravesó por dentro, irradiándose en todas direcciones.

–¿Pensabas que yo había traicionado a tu hermano y aun así te acostaste conmigo?

Se llevó una mano a la boca, horrorizada. No podía ser cierto. Algo relampagueó en los ojos de Declan, algo que ella no pudo interpretar.

–Necesitaba estar seguro.

Una náusea le subió por la garganta. No le extrañaba que Declan le hubiera enviado señales contradictorias aquella noche, alejándola y tentándola a la vez. Había adivinado que su bata era de seda y le había hablado de su aspecto. ¿Cómo había podido no darse cuenta? Había pensado que aquella noche había significado algo para él. Tambaleándose, empezó a retroceder. Cerró los ojos con fuerza. Por el rabillo del ojo captó un borroso movimiento, como si él se hubiera adelantado para sujetarla. Pero no la tocó. Debió de habérselo imaginado.

–¿Seguro de qué?

–Seguro de que eras la clase de mujer que traicionó

alegremente a mi hermano cuando se le presentó una mejor oportunidad. ¿O acaso no fue eso lo que yo fui para ti, Chloe? ¿Una mejor oportunidad? No tuviste ningún escrúpulo en acostarte con los hermanos Carstairs para ver qué era lo que podías sacar de ellos.

Se quedó clavada en el sitio, diciéndose a sí misma que no estaba escuchando aquello. La cabeza le daba vueltas.

–Fue una medida necesaria –añadió Declan–. Pero la verdad es que tuvo sus compensaciones.

El corazón le dio un vuelco en el pecho y lo abofeteó con fuerza en una mejilla. Él ni se inmutó.

Capítulo 10

DECLAN caminaba por el pasillo, ignorando el tentador aroma del café. No quería ver a Chloe esa mañana. La noche anterior la había confrontado con la verdad y ella no había tenido respuesta. Pero no se había sentido vindicado, ni victorioso. Más bien todo lo contrario.

El ardiente dolor de la bofetada le había hecho concebir la fugaz esperanza de que la verdadera Chloe, aquella de la que se había enamorado, hubiera vuelto. Pero no. Ella no había tenido respuesta ni explicación alguna que darle. Ninguna excusa. Tenía que enfrentarse al hecho de que la verdadera Chloe era la mujer que había seducido tanto a su hermano como a él para sacar una ganancia económica.

Y, sin embargo, la imagen de Chloe huyendo la noche anterior, con una mano en la boca, le hacía sentirse culpable. Como cuando le hizo creer que se había acostado con ella para confirmar sus sospechas. Le había mentido. El dolor le había empujado a ello: no estaba nada orgulloso. Hasta que recordó la angustia de Adrian. Lo que pudiera sentir Chloe no era nada comparado con lo que ella le había hecho a su hermano. Y, sin embargo, se sentía desgarrado entre lo que le debía a Adrian y lo que sentía por ella.

Ahora lo comprendía todo. La mención que había hecho Adrian en su nota de que ella lo había dejado por un mejor partido, escrita apenas unos días antes de que Declan llegara a Carinya. ¿Por qué quedarse con un hermano arruinado cuando el otro era millonario? Recordó que Damon Ives le había ofrecido un empleo después de que coincidieran en el hotel donde ella había estado trabajando. Muy probablemente se habría acostado con él para conseguirlo.

Ella decía que nunca tenía dinero. Si hubiera sido realmente tan pobre, si hubiera estado tan desesperada, ¿se habría vendido a sí misma por algún pequeño lujo? Se pasó una mano por el pelo. No podía creer que estuviera buscándole excusas.

—Declan —la voz de Chloe le hizo levantar la mirada.

Estaba en el umbral: vestía camisa blanca almidonada, falda recta de color gris y zapatos cómodos. Llevaba el pelo recogido en un moño. Estaba pálida y tenía ojeras.

—Necesitamos hablar —le dijo, desafiante.

—Muy bien —se volvió para encaminarse hacia su despacho. Pensó que tenía razón. Todavía no habían acabado con aquello.

Una vez en el despacho, se sentó detrás de su gran escritorio. Ella entró lentamente. Recostándose en el sillón, juntó las puntas de los dedos.

—¿Y bien?

Vio que palidecía todavía más, pero permaneció tranquila, bien erguida.

—Necesito contarte la verdad sobre mi relación con tu hermano. Anoche no quisiste escucharme y... —desvió la mirada hacia las puertas acristaladas que daban a la terraza—. Me costó asimilar tantas revelaciones.

Él se quedó callado, perdido en la contemplación de sus maravillosos ojos verdes. Resultaba increíble que alguien con aquellos ojos pudiera ser tan culpable. Había sido un ingenuo. Por primera vez en su vida, se había abierto a una mujer... y no como un amante a corto plazo, sino como algo más.

–Al principio, Adrian no tuvo casi trato conmigo –empezó ella–. Al fin y al cabo, yo no era más que una trabajadora –sonrió, irónica–. Pero no parecía tener nadie más con quien hablar.

Declan experimentó una familiar punzada de arrepentimiento. De haber sabido que Adrian tenía problemas, lo habría dejado todo para estar con él. Pero Ade le había asegurado que se encontraba bien y disfrutando de su descanso.

–Tenía amigos. Adrian creció en un amplio círculo social.

–Era muy reservado. La única gente con la que hablaba era la que había dejado en Londres, como su socia, Diana. Hablaba de ella todo el tiempo.

–Y tú decidiste que era tu deber hacerle compañía, dado lo solo que estaba.

Chloe no reaccionó. Simplemente se lo quedó mirando inexpresiva.

–Háblame de él –estaba ávido de cualquier dato que pudiera ayudar a explicar la depresión de Adrian. Todavía le costaba creerlo. No había detectado rastro alguno de inestabilidad mental ni en sus correos ni en sus llamadas, aunque sí que le había parecido más preocupado de lo habitual, cosa que había atribuido a su bancarrota.

–No parecía capaz de relajarse. Cada día que pasaba estaba más inquieto, casi agitado –se interrumpió, y Declan percibió su tensión–. Me buscaba a mí... más y más.

Declan reprimió una brusca réplica. ¿La había buscado Adrian, o le había buscado ella a él?

–Es cierto –insistió Chloe–. Hablaba de sus proyectos para levantar su empresa y de lo bien que le irían las cosas cuando invirtiera en el gran negocio que estaba planeando.

Declan frunció el ceño. Aquello no tenía sentido. Adrian se había arruinado. Declan había tenido que ayudarlo económicamente durante los últimos meses. No había habido manera de salvar los negocios de Adrian. Él mismo había admitido que dudaba entre volver a la publicidad o aceptar el empleo que le había ofrecido Declan. En cuanto a lo de compartir su situación financiera con Chloe... según la nota que había dejado, había sido entonces cuando ella lo había abandonado.

–Pero había más que eso –continuó Chloe–. Él cambió. Cada vez que yo entraba en una habitación, él estaba allí. Siempre estaba... mirándome mientras trabajaba –le tembló la voz.

–¿Qué quieres decir? ¿Que salía menos para que tú te fijaras en él?

–Eso también –se abrazó, estremecida–. Era como si se anticipara a mis movimientos. A dondequiera que yo iba, él ya estaba allí, esperando. Incluso me seguía cuando salía. Luego empezó a preguntarme si me veía o hablaba con alguien, como si estuviera celoso. No era normal.

Declan se sentó muy derecho, agarrando los brazos del sillón.

–¿Me estás diciendo que Adrian te acosaba? ¡Eso es absurdo! –exclamó indignado. Declan conocía a su hermano pequeño. Prácticamente lo había criado él mismo desde que sus padres se sumergieron en sus actividades sociales y profesionales. Ade había sido un gran chico, sin un gramo de malicia o de maldad. No podía haber sido un acosador–. Lo estás calumniando porque él no está aquí para defenderse.

–Te estoy diciendo la verdad.

–¿Me estás pidiendo que crea que desarrolló una obsesión contigo sin que tú le dieras pie a ello?

Todo su ser se rebelaba ante la idea. No podía ser. Era imposible.

–Así es –le sostuvo la mirada sin parpadear–. Yo no lo animé en ningún momento: simplemente lo escuchaba. Pero de repente se puso a hablar de nosotros como si fuéramos una pareja, como si tuviéramos una historia detrás. Como si fuéramos amantes.

–¿Y no lo erais? –solo de pensarlo se le revolvía el estómago.

–No. Él no era mi tipo –respondió Chloe como si le costara hablar.

Declan evocó el momento en que Adrian, justo antes de morir, le había contado que ella lo había dejado para irse detrás de alguien con dinero. Recordó cómo Chloe había decidido que él, Declan, desfigurado, antisocial y grosero, sí que era su tipo. ¿Qué podía haber visto ella en él, salvo un medio para acceder a su regalado estilo de vida? Al igual que le había ocurrido años atrás, cuando una examante decidió aprovecharse de su dinero. Intentó no recordar lo mucho que Chloe había significado para él en aquellos aciagos días. Todo había sido una farsa. El hecho de que todavía siguiera deseándola no hacía sino aumentar su indignación y su desprecio hacia sí mismo. Y Adrian no había sido un mentiroso, ni un acosador. Aunque tampoco Declan había pensado nunca que su hermano estaría deseoso de suicidarse.

–Me hablaba de lugares en los que supuestamente habíamos estado juntos –continuó Chloe–. Se enfurecía cuando yo le decía que no sabía de qué estaba hablando, y me acusaba de querer romper nuestra relación para irme con otro –se mordió el labio inferior.

–Si mi hermano te estuvo acosando, ¿por qué no lo denunciaste?

–Pensé en ello. Estuve a punto de acudir a la policía,

pero era mi palabra contra la suya. Además, él tenía derecho a estar en tu casa –desvió la vista–. Pero finalmente me asusté de verdad. El acoso era constante y llegué a pensar...

–¿Sí?

–Me preocupaba lo que pudiera hacerme. Había días en que casi parecía normal, pero otros...

–¿Temías que llegara a forzarte?

–No lo sé –abrió los brazos–. Pero al final estaba aterrada. Fue por eso por lo que me marché.

–Te fuiste por una urgencia familiar. Eso fue lo que me dijeron los del departamento de personal.

–Bueno, en realidad no me marché por eso. Me fui por Adri... por tu hermano. Pero al poco de marcharme me enteré de que mi padre adoptivo había sufrido un ataque. Y utilicé el permiso para estar con él.

–Qué casualidad.

–Supongo que lo fue. Pero créeme, yo habría preferido que ninguna de esas dos cosas hubiera sucedido.

–¿Y tu padre adoptivo? –si había en realidad un padre adoptivo... Cerró los puños. Antes la habría creído sin vacilar. Pero todo eso había cambiado.

–Está en una clínica privada de rehabilitación.

–Supongo que él podrá confirmar tu versión.

–No. Yo no le dije nada. No quería preocuparlo. Además, todo había terminado. No tenía sentido inquietar a Ted con algo que ya estaba acabado.

Efectivamente lo estaba, pensó Declan, pero porque Adrian había puesto fin a su vida. Porque él le había fallado. Y porque ella lo había empujado a la muerte. La explicación de Chloe parecía plausible. Y él deseaba creer en ella. Pero no podía fiarse. Había dispuesto de toda la noche para inventarse aquella historia. Porque eso era lo que era: una historia destinada a disimular su papel en su muerte.

–Si no acudiste a la policía, ¿por qué no se lo dijiste a mi gente? Los miembros de mi plantilla tienen derecho a trabajar en condiciones seguras.

–Temía perder mi trabajo si me quejaba de tu hermano –sonrió, triste–. Los buenos empleos no son fáciles de encontrar.

–Entiendo –una excusa muy conveniente–. Así que no tienes ninguna prueba. Es tu palabra contra la reputación de Adrian. ¿Qué se siente al difamar a un hombre que no puede defenderse?

–No es eso... –replicó ruborizada.

Era la viva imagen de la inocencia ofendida. Y, sin embargo, hacía mucho tiempo que Declan había aprendido que la gente no era lo que parecía ser.

–¿Esperas que me crea que se suicidó por una mujer a la que apenas conocía? ¿Que se había imaginado el gran amor que había transformado su vida?

–No es algo tan extraño. Hay hombres que se obsesionan con mujeres a las que apenas conocen o a las que solo han visto en fotos. Se inventan una fantasía que es más satisfactoria que la realidad.

Declan se levantó del sillón, incapaz de quedarse quieto mientras ella destrozaba a Adrian.

–¡Basta! Te he dado una oportunidad de explicarte, Chloe. Pero me niego a escuchar más mentiras.

Le había fallado a Adrian una vez. No volvería a hacerlo. Dar credibilidad a aquella historia sería como volver a traicionarlo.

–No son mentiras.

Con gesto cansado, Declan abrió un cajón de su escritorio. Un segundo después dejaba un delgado cuaderno negro sobre la mesa.

–Entonces, explícame esto.

–¿Qué es?

–El diario de Adrian. En él describe el tiempo que

pasó contigo. Y con una foto en la que aparecéis los dos juntos en Echo Point —hundió las manos en los bolsillos. No le gustaba tocar aquel cuaderno. Había leído únicamente lo suficiente para encontrar la prueba de que Adrian y Chloe habían sido amantes.

Cuando abandonó Carinya no había podido sentirse más confuso. Para cuando llegó a Sídney, medio se había convencido a sí mismo de que se había equivocado con ella. Hasta que el diario de Adrian mató toda esperanza.

—Lo que escribió no era cierto. En cuanto a la foto, le pidió a un turista que nos la hiciera un día que me estuvo siguiendo.

Declan no respondió. Giró sobre sus talones y se alejó unos pasos. Su estómago no podía soportarlo más.

—¿Dónde lo encontraste? —le preguntó ella—. No recuerdo habérselo visto.

—Lo encontré al día siguiente de que abandonaras Carinya. Yo volví allí.

Había estado buscando pruebas de su inocencia como un desesperado. En lugar de ello, había encontrado el diario de Ade dentro de un cajón cerrado con llave, junto con las joyas de la familia, que su madre le había legado. Permaneció ante el ventanal, sin ver nada en realidad. Debería alegrarse de haber descubierto la verdad sobre Chloe, pero lo cierto era que no sentía ningún alivio.

—Lo que escribió tu hermano en ese diario no es más que un producto de su imaginación —dijo ella, estremecida solo de pensar en lo que debía de haber escrito Adrian.

Declan se giró de pronto, con el sol de la mañana iluminando su cicatriz. Chloe recordó todo lo que habían compartido, la esperanza y la felicidad que había descubierto con él. Todo había sido una ilusión. Se había equivocado con los sentimientos de Declan, que la había seducido deliberada y fríamente.

–Nunca te convenceré, ¿verdad? –le espetó. Pero su furia quedó anegada bajo una marea de tristeza. Tristeza por lo que podía haber sido y por el dolor que Declan todavía arrostraba. Era una situación en la que los dos perdían, condenados ambos a sufrir.

Quiso suplicarle, pero la lealtad que profesaba a su hermano era demasiado profunda. Y ella lo entendía. ¿Acaso ella no había culpado durante meses a la plantilla del hospital por la muerte de Mark, cuando no había habido manera de salvarlo cuando lo llevó allí? Declan necesitaba culpar a alguien. A ella y a sí mismo.

–No, no puedes convencerme –respondió él con tono inexpresivo.

–En ese caso, me iré. Carece de sentido que me quede –no sabía cómo conseguiría cubrir los gastos médicos de Ted, pero ya encontraría algo.

–No.

–¿Cómo?

–Te quedarás donde estás.

–Tú no me quieres aquí, Declan, y yo no quiero trabajar para un hombre que me considera una mentirosa. ¿Para qué prolongar la amargura? –abrió los brazos.

–¿Y dejar que te vayas? Tú sedujiste a Adrian cuando más vulnerable se encontraba después de su bancarrota. Conseguiste que se enamorara de ti y luego lo dejaste tirado. Tú sabías que estaba deprimido. Recuerdo que un día me hablaste de un conocido tuyo que estaba deprimido y que no pidió ayuda. Era Adrian, ¿verdad? Pero tú no levantaste un dedo para ayudarlo –la acusó–. Y luego pusiste el objetivo en mí –le brillaban los ojos–. Fui una presa fácil, ¿verdad, Chloe? Ciego. Solo. Enfermo de dolor. Una pizca de eficaz conmiseración y...

–¡No fue así! –le rompía el corazón que pudiera pensar eso de ella.

–¿No? –Declan enarcó una ceja–. Fuiste muy convincente. Incluso me hiciste creer que...

Chloe contuvo el aliento mientras esperaba a que terminara la frase. ¿Creer qué? ¿Que la apreciaba? ¿Que la amaba?

–¿Fue Adrian el primero? ¿O empezaste antes con tu «amigo» Damon Ives?

Se quedó muda de incredulidad. Finalmente encontró la voz para hablar, pese a que se tambaleaba de dolor.

–¿Para qué me quieres aquí, Declan? ¿Para vengarte? ¿Me lo quieres hacer pagar? ¿Es eso?

Él no contestó, sino que se la quedó mirando con los ojos entrecerrados. En ellos podía percibir Chloe el dolor que seguía acechando detrás. Lamentablemente, ella no podía ayudarlo.

–Esto se acaba aquí –sabía que quedarse sería una locura–. Dimito. Me iré, pero no antes de haber redactado mi carta de dimisión.

No pensaba salir corriendo. A esas alturas, el orgullo era lo único que le quedaba.

Capítulo 11

LO SIENTO, Chloe, pero el señor Carstairs ha cambiado de idea sobre la cena de esta noche. Ante el tono de disculpa de Susie, Chloe dejó a un lado la batidora y el cuenco para agarrar bien el teléfono.

—Estás de broma —contempló con tristeza los preparativos para una cena íntima para dos.

Declan recibía a una invitada distinta cada noche, profundizando el abismo que separaba a Chloe de las hermosas y sofisticadas mujeres con las que salía. Desde el principio había decidido ocultar su dolor, diciéndose que no le importaba. Redactar su carta de dimisión le costaba más y más cada día. De todas formas era algo que tenía que hacer, para demostrarle que se había equivocado con ella. De niña había vivido siempre conforme a las expectativas de los demás. Había tardado años en convencerse de su propia valía y no pensaba renunciar a esa conquista. Se negaba a salir corriendo y quedar así como culpable. Se marcharía al menos con la cabeza alta.

—Ha cancelado la cena para dos —añadió Susie—. Quiere algo más grande. Dijo que no tendrías ningún problema en preparar una cena *cordon bleu* para veinte personas. Llegarán a la siete y media.

Chloe miró su reloj y por poco entró en pánico. Una cena así sería casi imposible de organizar. Pero entonces recordó algo: a ella misma diciéndole a Declan, aquella noche en la cama, que era capaz de preparar desde una cena de *gourmet* para veinte personas hasta una tarta de boda. ¿Se habría acordado de eso? ¿De qué más se acordaría? Estremecida, intentó ahuyentar esos recuerdos. Pero aquella noche seguía grabada en su cerebro. No solo el éxtasis, sino la maravilla, la sensación de conexión… Y, sin embargo, para él no había sido más que una perversa prueba a la que la había sometido. ¿Continuarían aquellas pruebas?

—También quiere que hagas de anfitriona.

—¿Cómo?

—El señor Carstairs quiere que estés presente en la cena y le ayudes a atender a los invitados. Y una cosa más. Quiere que te pongas tu vestido verde.

Se ruborizó al recordar la fiesta para la que se había puesto aquel vestido, la manera en que Declan la había seducido con su contacto. Se encogió, avergonzada. No le bastaba con imponerle la imposible tarea de preparar aquella cena. O que la tuviera en ascuas, preguntándose si realmente querría vengarse de ella. También quería regodearse. Era la gota que colmaba el vaso.

Apretó la mandíbula. Se pondría el vestido. Le demostraría que era completamente inmune a sus encantos. Y luego se marcharía.

Declan no podía apartar la mirada de Chloe, vibrante y tentadora al otro extremo de la mesa. Ella suponía que él quería vengarse. Pero no era así, porque nada de lo que pudiera hacer conseguiría devolverle a Adrian.

Extrañamente, su investigador privado no había encontrado evidencia alguna de que hubiera tenido con anterioridad amantes ricos. Solo un marido que había muerto hacía mucho tiempo, un profesor. La noticia lo había impactado. La visceralidad de su propia reacción, demasiado cercana a los celos, lo incomodaba. Se había sorprendido a sí mismo preguntándose de nuevo por la enérgica y sin embargo dulce mujer que había conocido en Carinya. Había querido asumir las conclusiones del informe del investigador, como prueba de que su instinto no lo había engañado y de que Chloe había sido, y seguía siendo, aquella mujer. Pero entonces se acordó de Adrian.

La culpabilidad lo devoraba. ¿Quería absolver a Chloe por egoísmo, porque seguía anhelando a la maravillosa mujer que había conocido? ¿Y qué pasaba entonces con Adrian, con su dolor y su desesperación? ¿Cómo podía permitirse creer a la mujer que había traicionado a su hermano? Eso significaba aceptar que Adrian había sido un peligroso acosador. Y eso era un sacrilegio. Bebió un buen trago de vino. Nunca se había sentido así, como si estuviera caminando por arenas movedizas. Se alegraba de que Chloe ignorara que si él la quería allí no era por venganza, sino porque no quería dejarla marchar.

—La langosta está deliciosa, Declan. ¿Declan?

Recuperándose, se volvió para sonreír a Sophia. La mujer no había dejado de parlotear con él desde que llegó el primer plato que, tenía que admitirlo, era soberbio. Maldijo a Chloe. ¿Había algo de lo que no fuera capaz? Le había demostrado que era una magnífica ama de llaves. Como si realmente fuera lo que parecía ser.

Volvió a mirarla. Chloe estaba demasiado sexy con aquel vestido verde. Había sido un error ordenarle que se lo pusiera. Porque él no era el único en sentirse atraído por ella. Varios de los invitados se disputaban su atención, pero ella los mantenía a distancia con una amable sonrisa. Era una experta en seducir a los hombres.

—Puedo arreglármelas sola —Chloe forzó una sonrisa de circunstancias, deteniéndose en la puerta de la cocina.

—Vamos, vamos —insistió Daniel al tiempo que bajaba la mirada hasta sus senos–. Cualquiera diría que no te gusto.

Chloe intentó no apretar los dientes. ¿Por qué, de entre todos los invitados de Declan, había tenido que seguirla aquel baboso?

–Tengo que preparar el café y... –añadió con énfasis cuando sintió su mano sobre su brazo desnudo– sola acabaré antes.

–Sería una ocasión perfecta para que nos conociéramos mejor, lejos de esa multitud –se inclinó sobre ella, apestando a vino.

–Suéltame, Daniel. No te he dado permiso para tocarme.

–Pero eso es lo que quieres, ¿verdad, Chloe? Ese aire distante tuyo no es más que un truco.

Se tensó. Estaba harta de hombres que se creían con derecho a juzgarla o a hablar por ella. Hombres que solo veían en ella lo que querían.

–Te he pedido que me dejes. No te lo volveré a pedir.

–No creas que no me he dado cuenta de la manera en que te miraba nuestro anfitrión –le hizo un guiño–. Es obvio que eres mucho más que un ama de llaves. Apostaría a que eres muy... versátil.

–He dicho... –le clavó un tacón en el empeine, arrancándole un grito– que tengo que preparar el café. Sola.

Y se giró para marcharse, ignorando la sarta de improperios que escuchó a su espalda. Pero un movimiento en el borde de su campo de visión la hizo detenerse en seco. Declan. Le dio un vuelco el corazón. Estaba apoyado en el umbral, más imponente que nunca. Su cara era una lívida máscara de furia.

El alivio que había sentido cuando se libró de Daniel se disolvió en cuanto vio la feroz expresión de aquellos ojos. Pero no fue miedo lo que sintió, sino ira. ¿Iba a amonestarla por intentar seducir a uno de sus invitados?

Ni hablar. Estaba cansada de hacer de chivo expiatorio. Girándose de nuevo en redondo, se metió en la cocina.

Cuando volvió a salir, los invitados habían abandonado el comedor para concentrarse en el salón. Instantáneamente localizó a Declan al otro extremo de la sala, en compañía de un hombre mayor.

–Es un fuera de serie, ¿verdad?

Chloe descubrió a una morena espectacular a su lado, tambaleándose levemente sobre sus altos tacones.

–¿Perdón?

–Declan –la mujer, Sophia, lo señaló con la mano que sostenía la copa. A punto estuvo de derramarse el vino sobre su vestido de alta costura–. Es el mejor hombre que he conocido. Y el más sexy, a pesar de esa horrible cicatriz –bebió un trago–. Una de sus virtudes es que puedes confiar en él. Es leal y sincero. Todo lo contrario que otros –fulminó con la mirada a un hombre rubio que se hallaba en íntima conversación con otra mujer–. ¿No has visto lo que ha hecho con ese canalla de Daniel?

–¿Daniel? –Chloe miró a su alrededor. Había esperado una nueva confrontación con él, pero lo cierto era que no había vuelto a verlo–. ¿Dónde está?

–Declan lo sacó de la fiesta agarrándolo del pescuezo.

–¿Declan hizo eso? –sorprendida, Chloe se volvió. Resplandeciente con su traje de etiqueta, Declan derrochaba carisma. No tenía nada que ver con el hombre enfurecido que había visto tan solo unos minutos antes.

–Por supuesto. Dios sabe lo que habrá hecho ese tipo.

Algo en el interior de Chloe pareció resucitar. ¿Habría echado Declan a Daniel por la manera en que se había comportado con ella? La idea la desconcertaba.

No era aquella la reacción de un enemigo. Justo en ese momento, Declan volvió la cabeza hacia ella, como si hubiera percibido su presencia. El aire pareció cargarse de electricidad. El brillo de sus ojos no revelaba la desaprobación que había esperado ver. Era otra cosa. Algo intenso y casi posesivo.

Recordó de pronto su voz ronca. «Fuiste muy convincente. Incluso me hiciste creer que...». Cada noche, aquellas palabras rondaban su cerebro. Había detectado el dolor y la desesperación en su voz, y volvió a preguntarse si, contra toda lógica, no seguiría sintiendo algo por ella.

—Declan vio cómo Daniel me molestaba —las palabras le salieron solas.

—¿Lo ves? —asintió Sophia, y suspiró—. Lástima que yo no haya sido nunca su tipo.

A duras penas consiguió Chloe apartar la mirada de Declan. Era como si la tocara con los ojos. Sí, aún seguía allí: la conexión entre ambos, que ella había ignorado desde el principio. Era más fuerte que la desconfianza. Volvió a mirarlo. Vio que fruncía levemente el ceño, como si estuviera tan desconcertado como ella. Últimamente habían estado viviendo una especie de prudente tregua. ¿Sería posible que hubiera empezado a superar su dolor?

—Es guapo —ronroneó Sophia—. Quizá haya llegado el momento de comprobar si es verdad que no soy su tipo —añadió, y echó a andar, atravesando el salón con un contoneo que llamó la atención de todo el mundo.

Chloe se volvió apresurada hacia un grupo de invitados. Pero conforme la gente se fue retirando, el nudo que sentía en las entrañas se apretaba más y más. Sophia permanecía pegada a Declan, con un brazo alrededor de su cintura mientras se tambaleaba sobre sus altísimos tacones. Ella se ocupaba en localizar bolsos y pañuelos, acompañando a todo el mundo hasta la puerta. Pero el nudo seguía apretándose. ¿Celos? ¿Cómo podía estar celosa si ya no quería a Declan?

Volvía al salón cuando se detuvo en seco. Tuvo que apoyarse en el umbral, porque las piernas no la sostenían. Allí estaban Declan y Sophia, besándose. Sophia abrazada al cuello de Declan. Declan levantándola en brazos para llevarla por el pasillo hasta el dormitorio, despreocupado de que los tacones se le cayeran al suelo. Chloe se llevó una mano a la boca.

Declan llegó al final del pasillo casi a oscuras, donde se abría el dormitorio principal, y entró con Sophia en brazos. En el silencio que siguió, Chloe escuchó el ruido del pestillo al cerrarse. Aturdida, apoyada en la pared, se quedó mirando los tacones de aguja que habían quedado en el suelo. Declan y Sophia. Declan haciendo con Sophia todas aquellas cosas que había hecho con ella. Le castañetearon los dientes y se abrazó como consecuencia de la reacción.

Durante las últimas semanas había intentado decirse que entre Declan y ella únicamente había habido sexo. Que su relación no había significado nada, ignorando el hecho de que ella no era ninguna promiscua y que en toda su vida solamente se había acostado con dos hombres: Mark y Declan. Con un suspiro, se dejó caer resbalando por la pared. Quedó sentada en el suelo, hecha un ovillo. No podía seguir fingiendo. Había eludido la verdad durante demasiado tiempo. En Carinya se había enamorado de Declan Carstairs. Y ahora él había encontrado la manera de castigarla por todos aquellos crímenes que ella no había cometido.

Tardó menos de treinta minutos en hacer el equipaje. Se dirigía al vestíbulo cuando un grito resonó en la casa, helándole la sangre. Se quedó paralizada, aferrando su bolsa de viaje. En el silencio solo se oía su pulso acelerado. ¿Se lo habría imaginado? Imposible. Y, sin embargo le parecía igualmente imposible que hubiera procedido del dormitorio principal.

Se obligó a entrar en el salón, donde seguían los zapatos de Sophia, señal de que no estaba solo. Entonces volvió a oírlo: un rugido que le puso la carne de gallina. Soltando la bolsa, se volvió hacia el pasillo de los dormitorios. Estaba a oscuras. No se oía nada. ¿Y si había sucedido algo? De repente lo escuchó: un rumor ahogado, el de la voz de Declan. Hablando con Sophia, por supuesto. Con los labios apretados, empezó a alejarse. No quería escuchar sus conversaciones de alcoba. Pero se quedó paralizada cuando otro grito resonó en la noche. Había tanto dolor en aquel grito... Era Declan. ¿Por qué no hacía algo Sophia?

Consciente de que se arrepentiría, giró el picaporte del dormitorio principal y empujó la puerta. La luna bañaba la habitación con su luz plateada. La cama era un revoltijo de sábanas. En lugar de la pareja solo estaba Declan. Movía los labios y su pecho subía y bajaba como un fuelle, mientras giraba la cabeza de un lado a otro.

–¡Adrian!

Chloe entró rápidamente y cerró la puerta.

–No, Adrian. ¡No! –dejó caer la cabeza con fuerza sobre la almohada. Parecía como aplastado por un invisible peso.

–Shh –Chloe se encontró de pronto junto a la cama, mirando aquel rostro contorsionado por la angustia–. No pasa nada.

–¡Nooo! ¡Ade, no!

–Tranquilo, Declan –le dijo ella con el corazón desgarrado de dolor, poniéndole una mano en un hombro–. Solo es una pesadilla.

Sus músculos se tensaban bajo sus dedos. Se volvió hacia ella, capturándole una mano. Seguía dormido. El hombre orgulloso que conocía no querría que lo viera así. Tenía lágrimas en los ojos.

–No pasa nada, Declan –susurró, inclinándose sobre él–. Ya ha pasado.

Pensó en la foto que había visto en su despacho, un retrato familiar: Declan, veinteañero; Adrian, años más joven, vestido con un uniforme escolar y sonriendo a su hermano mayor. En medio, sus padres, con envaradas sonrisas. La imagen la había sorprendido. Entonces había hecho cálculos y había descubierto que Charles y Maya Carstairs probablemente habían fallecido poco después de que hubiera sido tomada la foto. Nunca había visto tan despreocupado a Declan como en aquel retrato. Y ahora, en cambio... allí estaba, atormentado por pesadillas en las que aparecía su hermano.

Sabía que se culpaba a sí mismo por no haber salvado a Adrian. Pero ella no había sido consciente de cuán profundo había sido su sentimiento de culpabilidad, lo cual proyectaba una luz diferente sobre sus actos.

–¿Chloe?

Sobresaltada, bajó la mirada. Tenía los ojos cerrados. Su respiración se había aquietado.

–Mi dulce Chloe –le atrapó la mano entre su mejilla y la almohada–. Quédate.

Debería haberle resultado fácil retirar la mano y marcharse. Pero no fue así.

–Por favor.

Comprendió de repente que no podía marcharse así. Aún no. Con gesto cansado se sentó en el suelo, con la mano todavía atrapada contra la cálida piel. Comprendía demasiado bien el peso del dolor y la facilidad con que se convertía en culpabilidad. ¿Era el dolor lo que hacía que Declan se aferrara tan obstinadamente a la culpabilidad que sentía y a la que proyectaba sobre ella? Desde el enfrentamiento que tuvieron la noche de la fiesta, le había parecido un hombre diferente. Fuerte, pero solo. A la deriva. ¿Estaría loca por pensar que en ese momento la necesitaba más que nunca?

Con un suspiro, apoyó la frente contra la cama. Ese día no se marcharía.

Capítulo 12

D ECLAN, tienes un aspecto horrible.

–Gracias, David –era así como se sentía, después de haber pasado semanas compartiendo el apartamento con su diligente y distante ama de llaves. Echaba de menos el fuego de Chloe, su vívida personalidad, su cuerpo. Maldijo para sus adentros. No le extrañaba que apenas hubiera dormido–. ¿Querías algo más o vas a seguir haciendo comentarios sobre mi aspecto?

–Tienes que ver esto.

Declan se pasó una mano por los ojos. Había pasado demasiado tiempo intentando encontrar alguna paz en las familiares exigencias de su trabajo. No había funcionado. Porque no había vuelto a encontrar la paz desde que se sumergió en aquella pesadilla en la que la mujer que amaba se había convertido en una calculadora cazafortunas. Pero... ¿lo era realmente? Las evidencias le decían que sí. Pero su instinto le aseguraba lo contrario.

–Declan.

Alzó la mirada. David se hallaba de pie al otro lado del escritorio, alargándole un pequeño paquete.

–Acaba de llegar esto. Lo enviaron la semana anterior a la muerte de Adrian –se interrumpió al ver que su jefe se erguía en su sillón, expectante–. Algún estúpido de nuestro gabinete estuvo sentado sobre él todo el tiempo –resopló disgustado–. Afortunadamente, alguien se decidió por fin a revisarlo y nos lo envió.

Declan se quedó mirando por un momento el pequeño sobre acolchado. ¿Lo habían enviado la semana de la muerte de Adrian? Un escalofrío le recorrió la espalda. ¿Otra carta de su hermano? Pero no. Esa vez no era la escritura de Adrian la que figuraba en el dorso, sino la de Chloe.

El paquete contenía un saquito de terciopelo y una nota. La leyó: *A devolver por favor al señor Adrian Carstairs.* Eso era todo. No había firma, pero sabía que la letra era de Chloe. Miró luego el saquito: era pequeño, pero pesado. Lo abrió. Se quedó sin aliento cuando reconoció un familiar resplandor verdoso. Acarició los perfectos diamantes. Lentamente, casi reacio, lo comprendió todo.

—¡Declan! ¿Te encuentras bien? ¿Llamo a un médico?

—Sí, estoy bien.

—No es verdad. Estás pálido como la cera. ¿Es la pierna?

—Estoy bien, David —mintió—. ¿Por qué no te marchas ya a casa? Es muy tarde.

Una vez a solas, examinó la pulsera de diamantes. Era la más cara de la colección de su madre: enormes esmeraldas rodeadas de múltiples diamantes y perlas perfectas. Una exquisita pieza de joyería digna del tesoro de un rajá. Sintió una punzada de dolor. Si Chloe hubiera sido una cazafortunas, ¿qué sentido habría tenido que devolviera una joya por valor de varios millones de dólares? Tuvo el estremecedor presentimiento de que, desde el principio, la intuición que había tenido con ella había sido acertada. Había cometido un terrible error.

Chloe atravesaba apresurada el vestíbulo del edificio de apartamentos, decidida a tomar el primer tren que saliera para las Montañas Azules. Había transcurrido una larga semana desde la última vez que había visto a Ted.

Se detuvo una vez en la acera, tambaleante. Un elegante deportivo estaba aparcado junto a la acera, y apoyado en él, arrebatador como siempre, vestido con unos tejanos y una chaqueta de cuero, Declan. Con el corazón acelerado, Chloe se dispuso a alejarse. Tenía que dejar de reaccionar así. Pero eso era más fácil de decir que de hacer.

–Espera –irguiéndose, se acercó a ella.

–¿Qué pasa, Declan?

–Voy para Carinya. Puedo llevarte a ver a tu padre adoptivo.

–¿Cómo sabes a dónde voy? –¿acaso había ordenado que la siguieran?

–Es tu día libre. Me lo dijo el conserje del edificio.

–¿Por qué deberíamos viajar juntos? –cierto, habían compartido el apartamento de Sídney durante semanas, pero como dos desconocidos. Y la tensión resultante había estado a punto de destrozarle los nervios.

–Solo será una hora o así –añadió él–. Tardarás mucho menos que en tren, de modo que tendrás más tiempo para la visita. Además, quiero hablar contigo.

–Pues habla –Chloe se cruzó de brazos.

–Aquí no. Necesitamos intimidad.

Tenía razón. Pero... ¿encerrarse en aquel lujoso deportivo con él y hacer todo el trayecto hasta las Montañas Azules? Sería demasiado.

–Chloe –dio un paso hacia ella y se detuvo. Su tono había sonado a súplica.

Se le aceleró la respiración. ¿Qué querría? ¿Decirle que estaba dispuesto a reconocer la verdad sobre ella y sobre Adrian? Lo dudaba. ¿Cómo podía esperar que la creyera a ella, y no a su hermano?

–Por favor, Chloe.

Sabía, por sus amigos y colaboradores, que Declan era un hombre justo y honesto, lúcido y generoso. ¿Sería posible que finalmente hubiera aceptado la verdad? Temía pecar de optimista. Y, sin embargo, se había enamorado de él. El amor era algo demasiado precioso para desecharlo sin más. Le debía a Declan, y a sí misma, intentarlo una última vez. De todas formas, tuvo que obligarse a subir a su coche.

Declan le había hecho mucho daño, había minado su orgullo y su autoestima, traicionado su confianza. Atravesaron en silencio la ciudad. Él no parecía tener ninguna prisa por hablar. Acababan de tomar la salida en dirección oeste cuando por fin empezó:

—Gracias por haberte tomado la molestia de atender a Sophia.

—No fue ninguna molestia —se volvió para mirarlo.

Sophia había salido toda desarreglada y soñolienta de la habitación de invitados a la mañana siguiente de la fiesta, bastante después de que Declan se marchara para la oficina. Parecía consternada por su comportamiento de la pasada noche, por lo mucho que había bebido y la escandalosa manera en que había flirteado para castigar a su ex.

—Habitualmente no es tan... impulsiva —dijo él, mirando a Chloe.

—Ya lo supongo.

Al parecer, Declan se había mostrado suave, pero firme a la hora de rechazarla. La había llevado a la habitación de invitados, donde la mujer había dormido los efectos del alcohol y de su desengaño. Chloe recordó los elogios que Sophia le había lanzado: era un hombre íntegro y honesto. Solo que el lado oscuro parecía haberlo reservado para ella.

—Te estoy muy agradecido.

–No fue nada. ¿Era solo de eso de lo que querías hablar?

–No, en absoluto –pronunció, tenso.

¿Podía atribuir aquella tensión a su falta de sueño? Últimamente solo había disfrutado de una noche decente: la de la fiesta, en la que había soñado con que Chloe se le acercaba. Pero la verdadera razón de su insomnio era su conciencia. Chloe parecía tan frágil... Se le había encogido el corazón al verla salir del edificio, toda seria y preocupada. Y la culpa era suya. Se estremecía solo de recordar todo lo que le había dicho y hecho. Apretó con fuerza el volante.

–¿Declan?

Bruscamente puso el intermitente, aparcó a un lado de la carretera y apagó el motor. Le temblaban las manos. Se volvió para mirarla.

–Te debo una disculpa. Te he tratado fatal.

–Cierto –Chloe frunció el ceño como si no pudiera creer lo que estaba oyendo.

–Estaba bajo los efectos de un shock.

–No lo entiendo. ¿De qué te estás disculpando exactamente?

Él le tomó una mano y ella no se resistió.

–De todo –suspiró–. Te dije que me había acostado contigo porque sabía que habías traicionado a Adrian. Que había recuperado la vista y que quería comprobar con cuánta facilidad podías entregarte a un hombre con dinero.

Chloe intentó retirar la mano, pero él se la retuvo entre las suyas.

–Te comportaste como un ser despreciable...

–Te mentí. Y me desprecio por ello. Te castigué porque nunca en toda mi vida me había sentido tan furioso y quería infligir a alguien parte del dolor que estaba sintiendo.

–A mí.

–A ti. Oh, lo siento –no había dejado de arrepentirse desde entonces, sobre todo cuando veía el dolor en sus ojos–. Me acosté contigo porque estaba desesperado por hacerlo. Nada más. No hubo ninguna prueba, ninguna artimaña. Te deseé, Chloe, como nunca había deseado a ninguna mujer –vio que lo miraba incrédula–. El simple sonido de tu voz o el eco de tu fragancia cuando pasabas a mi lado me excitaba insoportablemente –durante semanas había guardado las distancias, temeroso de lo que pudiera suceder si se acercaba demasiado a la mujer que le despertaba reacciones tan poderosas–. Me esforzaba por reprimirme.

Chloe escrutó su rostro. Veía en él arrepentimiento y vergüenza. Le temblaban las manos. Y también había miedo. Sobre todo, miedo. ¿De qué? ¿De que no fuera a perdonarlo?

–No recuperé la vista hasta después de la noche en que nos acostamos juntos –le confesó–. Fue a la mañana siguiente cuando te reconocí por la foto de Adrian. Fui un cobarde –esbozó una mueca–. No quería enfrentarme contigo cuando me marché.

–¿De veras? –apenas se atrevía a creerlo. Las acusaciones que él le había lanzado habían sido terribles, pero peor había sido su convicción de que lo había seducido de manera deliberada–. Hiciste que me sintiera sucia.

–Lo siento muchísimo, Chloe. No tengo palabras –se inclinó hacia ella–. No tengo excusa para lo que te hice. Lo único que puedo decirte es que me arrepiento y que haré lo que sea para compensarte.

–¿Por qué me lo dices ahora? –una llama de esperanza aleteaba en su corazón. Procuró concentrarse en sus palabras y no en el contacto de sus fuertes manos. Había ansiado tanto que viera la verdad...

–No podía seguir mintiéndote. Había tenido dudas

desde el principio. Cada vez que me enfurecía contigo por lo que supuestamente habías hecho, recordaba cómo te habías comportado. Nunca habías buscado nada. Solo habías sido tú misma, cariñosa e independiente. Te veía interactuar con mis amigos. Veía la fortaleza de ánimo con que soportabas mis acusaciones, cuando peor me estaba comportando contigo.

La cruda emoción de su mirada la sorprendió. Estaba siendo sincero. ¿Podría perdonarlo? El corazón se le aceleró aún más.

—Hasta que anoche sucedió algo que me obligó a enfrentarme a todo lo que sabía sobre ti.

—¿El qué? —inquirió tensa, temiendo una decepción.

—Recibí la pulsera. La que tú devolviste.

—Pero si yo se la envié a Adrian hace meses —frunció el ceño—. Al día siguiente de abandonar Carinya. Le dije que no podía aceptarla. Pero, cuando deshice la maleta, descubrí que la había metido entre mis joyas —se estremeció al recordar la sorpresa que se llevó cuando la descubrió entre su modesta colección de pendientes. Evidentemente, Adrian había ignorado su negativa y no había tenido ningún escrúpulo en hurgar entre sus pertenencias para dejar allí la pulsera.

—Adrian nunca llegó a recibirla. El paquete llegó al despacho de la empresa y al poco tiempo se anunció su muerte. Algún empleado inexperto lo retuvo sin saber qué hacer con él. Apenas anoche lo tuve en mis manos —se inclinó de nuevo hacia Chloe—. Esa pulsera vale muchísimo dinero. Si hubieras sido una cazafortunas dispuesta a enriquecerse con los hermanos Carstairs, nunca la habrías devuelto.

—Ya te dije que no estaba interesada en tu dinero.

—Lo sé —tragó saliva—. Lo siento, Chloe. Siento todo el daño que te he causado.

—¿Me crees ahora, entonces?

–Te creo –su voz contenía un tono de súplica.

Un estremecimiento de excitación la recorrió. Y, sin embargo, necesitaba escuchar las palabras.

–Dímelo.

–Sé que nunca fuiste detrás del dinero. Sé que nunca me sedujiste deliberadamente, ni a mí ni a Adrian. Sé que eres sincera –le acarició posesivamente la mano–. Te pido perdón, Chloe. Aun sabiendo lo mucho que tu relación con Adrian lo afectó, me equivoqué al culparte. Nadie habría podido prever...

–¿Cómo? ¿Qué has dicho?

–Que no fue culpa tuya –le desgarraba el corazón imaginársela con Ade, pero ese era su problema, no el de ella–. Obviamente, se sentía vulnerable después de haber perdido todo aquello por lo que había trabajado. Debió de concebir expectativas irreales sobre su relación contigo...

–¿Su relación conmigo?

–Lo comprendo, Chloe. Adrian era atractivo, encantador. Tú no podías saber que tenía un carácter... inestable –pese a todo, le costó pronunciar la palabra.

–Ya te dije que yo no fui nunca amante de tu hermano.

–No pasa nada, Chloe. No te culpo –si había algún culpable, era él. Como hermano de Adrian, debería haber sacado tiempo para verlo, en lugar de limitarse a llamarlo. Debería haber hecho mucho más.

–¿Sigues pensando que Adrian y yo tuvimos una aventura?

–Sí –Declan frunció el ceño–. Adrian me lo dijo. Te sacó fotos en la cama –se ponía enfermo solo de recordarlo.

Chloe liberó su mano, pálida.

–Te dije que me había sacado las fotos sin mi permiso. Entró en mi habitación y me fotografió mientras dormía. Me sentí sucia cuando descubrí lo que había hecho.

–No. Por favor –sacudió la cabeza, con un nudo en el estómago. ¿Acaso no podía aceptar que lo comprendía? ¿Por qué se empeñaba en negarlo?

–Yo nunca te mentí, Declan. ¿Cómo es que te crees todo lo demás, y no eso? ¿Por qué insistes tanto en que Adrian y yo fuimos amantes?

Declan cerró los ojos. Ansiaba poder borrar el dolor que escuchaba en su voz. Y el que sentía él por dentro.

–¿Por qué, Declan?

La pregunta le obligó a abrir los ojos. Se sentía como dividido entre las dos personas que más habían significado para él. Había fallado a los dos y no podía enmendar nada. Se apartó cuando ella hizo amago de tocarlo. Se le había helado la sangre en las venas.

–Porque lo contrario sería pensar lo peor de Adrian –replicó–. O acepto que tuvo una aventura contigo que no salió bien o... –suspiró– asumo que mi hermano era un acosador que te hizo temer por tu vida –se le quebró la voz–. ¿Me estás pidiendo que me crea que mi hermano pequeño se había convertido en un monstruo? –sacudió la cabeza–. Yo lo conocía, Chloe. Adrian no era así –golpeó con el puño la consola del coche. El dolor no fue suficiente para distraerlo del horror al que se enfrentaba–. Sé que te asusté con mis acusaciones de que lo habías empujado al suicidio. Era lógico que no quisieras reconocer la relación. Pero yo no puedo creer eso de él.

La depresión era una cosa. Pero acosar a una mujer inocente era otra muy distinta. Ese hombre no podía ser su hermano. Como a través de una neblina, registró la triste expresión de Chloe. Vio que se desabrochaba el cinturón de seguridad. Su mirada estaba apagada, muerta.

–Sigues dolido, Declan. Sientes que debes culparte de su muerte. Te estás dejando cegar por el dolor y la amargura.

Declan no podía hablar. Ella se acercó a él. Se sentía como acorralado por su mirada y por las palabras que no deseaba escuchar.

–Sé lo que estoy diciendo. Yo me sentí así durante mucho tiempo cuando murió mi marido... porque me consideraba culpable de no haberme dado cuenta antes de que necesitaba ser hospitalizado. Y, si yo no tenía la culpa, la tenía la plantilla del hospital. La culpabilidad y el dolor nunca te dejarán en paz mientras no les plantes cara. Te minarán por dentro y un día te descubrirás viviendo media vida. Eso fue lo que me sucedió a mí –alzó una mano hasta su rostro, pero se detuvo a unos centímetros de su mejilla. Si lo tocaba...–. Ya tienes suficientes cicatrices de aquel día –recorrió con la mirada la herida de su rostro, que era el constante recordatorio de su fracaso–. No necesitas más.

Mirándola, Declan se esforzaba por resistir la tentación que significaban sus palabras. No se merecía la absolución. Ella le estaba pidiendo demasiado. Si hubiera sido un mejor hermano, Adrian seguiría vivo.

–¿Ya has terminado?

–No –Chloe dejó caer la mano–. No odio a tu hermano por lo que me hizo, aunque me asusté mucho. Estaba enfermo. Pero mucha más pena me das tú, Declan, porque estás demasiado asustado para liberarte y ver lo que tienes delante de tus ojos –esbozó una mueca–. Te amo, Declan. Y estás demasiado ciego para verlo.

Se la quedó mirando estupefacto. ¿Estaría oyendo cosas?

–Yo me aislé del mundo por el dolor, y porque tenía demasiado miedo para volver a exponerme. Pero entonces apareciste tú y me induciste a amar. Me sedujiste. Y ya no puedo volver a esconderme en mi pequeño y seguro mundo.

Se le quebró la voz y Declan alzó una mano para borrar aquel dolor de su rostro. El dolor que él mismo le había provocado. Pero ella se apartó.

–Me dije a mí misma que si me quedaba en tu apartamento era por orgullo, pero en realidad era porque te amaba, Declan. No podía marcharme sabiendo lo mucho que estabas sufriendo, no cuando existía la oportunidad de que yo pudiera hacerte ver la verdad. Pero mi amor no es bastante. No frente a tu desconfianza. Yo de adolescente no tenía ninguna autoestima, Declan. Me llevaron a casas de acogida porque mi madre era una toxicómana que vendía su cuerpo por dinero para el próximo pico. Ignoro quién fue mi padre.

–Chloe... –pronunció él con el corazón desgarrado.

–No –ella alzó una mano–. Necesité de mucho tiempo y de mucho amor para empezar a creer en mí misma. Para descubrir que amar merecía la pena. Y aquí estoy –alzó la barbilla–. Yo te he amado, Declan, pero tú no eres el hombre que necesito. Yo necesito un hombre que crea incondicionalmente en mí. No alguien que piense que por confiar en mí será desleal con su hermano. Necesito un hombre que me crea, aunque no tenga otra prueba de mi inocencia que mi palabra.

Aquellas palabras impactaron en Declan como proyectiles, llegando hasta el fondo. Porque eran ciertas. Había estado tan ensimismado en su propio dolor que había herido a Chloe, incluso cuando había intentado enmendar las cosas. Incluso cuando había tenido la prueba de que era la misma mujer que había creído en un principio que era, se había aferrado a lo cómodo, a lo seguro. Abrió la boca para hablar, pero ella se le adelantó.

–No me busques, Declan –dijo con tono frágil, pero decidido. Recogió su bolso y abrió la puerta–. Nunca. No quiero volver a verte.

Capítulo 13

CHLOE miraba fijamente la placa con el nombre de la directora en la puerta. Había transcurrido una semana desde que dejó a Declan y todavía seguía viendo el mundo como desenfocado. Había tenido razón al dejarlo. Quedarse habría sido autodestructivo.

Pero entonces, ¿por qué tenía la sensación de que había cometido un error? Parte de su ser se había quedado con él. Inspirando profundamente, llamó a la puerta y entró.

–Señora Daniels –sonrió la directora–. Es un placer. Me ha ahorrado usted una llamada. Tenía intención de llamarla a propósito de su padre adoptivo.

–Por eso estoy aquí –le dio un vuelco el corazón en el pecho.

Se sentó en la silla, frente al escritorio. El despacho, como el resto de la instalación, era acogedor, impecable. No sería fácil trasladar a Ted de allí, pero no le quedaba otro remedio. Sin ingresos fijos, ya no se lo podía permitir. Después de haberse gastado todos los ahorros en instalar a Ted en aquella clínica, no le llegaba para más.

–Quiero llevarme a Ted –le espetó, con el corazón encogido de dolor por lo que tenía que hacer.

–Ah. Yo creía que estaba usted contenta con los cuidados que le dispensamos aquí –repuso la directora, sorprendida–. Sobre todo después de que recibiéramos esto –recogió un papel de un montón ordenado y se lo tendió.

–¿Cómo? –Chloe frunció el ceño–. No entiendo.

Leyó el papel. Un nombre familiar aparecía firmando al pie: David Sarkesian, en nombre de Declan.

–¿Declan Carstairs se ha ofrecido a pagar el coste de la estancia de Ted?

–Y cualquier terapia o gastos médicos extraordinarios. ¿No lo sabía? Bueno, espero que esto le haga cambiar de idea.

Declan miraba fijamente la vasta extensión de césped que se extendía entre los setos de Carinya y la piscina. Con la imaginación veía a un niño gordezuelo atravesándolo a la carrera y sonriendo triunfante cuando atrapaba una pelota. Allí era donde había enseñado a Adrian a jugar al cricket, durante aquellas interminables vacaciones en las que sus padres los dejaban solos.

Casi podía oír el grito de victoria de Adrian cuando terminó de perfeccionar su saque en el tenis, o aprendió por fin a tirarse de cabeza en la piscina. Se sonrió. Ade siempre se había concentrado por entero en cada logro, abstrayéndose de todo lo demás. Un rasgo familiar. Pero en Adrian, aquel rasgo de fortaleza, ¿no había sido también de debilidad? ¿Con cuánta facilidad una tendencia como la suya a la máxima concentración podía convertirse en una obsesión con una mujer, con una fantasía? ¿No habría sido más cómodo perderse en una obsesión así que enfrentarse a la destrucción de la vida que había dedicado años a construir? Recordó su reciente conversación con la exsocia de Ade en Londres. Una mujer que, según había podido ver, tenía el mismo cabello rubio rojizo y la misma piel cremosa que Chloe. Una mujer que se había cerrado en banda cuando él le preguntó por la vida personal de Adrian, aunque admitió haberse sentido molesta con los cambios de humor de su hermano y su desánimo creciente. Hundió las manos en los bolsillos. ¿Se habría enamorado Ade de su socia, de la mujer con la que había trabajado y que recientemente se había casado con un rico banquero? ¿Se habría convertido Chloe en un recordatorio de la amante que lo había dejado abandonado? Ella podría haberse convertido en un objetivo convincente en el que proyectar sus frustrados sentimientos.

Nunca lo sabría. Ojalá las cosas hubieran sido diferentes, porque entonces habría sido capaz de intervenir antes de que Adrian se autodestruyera. Esos remordimientos siempre lo acompañarían. Pero en ese momento, al menos, podía ver más allá. La casa entera estaba cargada de recuerdos de Chloe. Casi podía oler todavía su delicioso aroma a vainilla y a sol. Había sido feliz allí. Fue allí donde por primera vez se había enfrentado a su deseo de estar con ella. Antes había odiado aquel negro mundo de oscuridad, pero ahora...

Chloe le había ofrecido su amor, y él lo había destruido. Había despreciado lo más valioso del mundo: la mujer a la que debería haber venerado, en lugar de denigrarla. Ella había tenido razón al abandonarlo. Estaba mejor sin él. No se la merecía.

Pero ¿cómo podría seguir viviendo sin ella? Giró sobre sus talones y abandonó la casa.

Capítulo 14

CHLOE procuró concentrarse en las últimas órdenes, pero estaba mareada y dolorida de cansancio. El calor y el acre olor a pescado frito volvieron a provocarle una náusea. Tambaleándose, alargó una mano hacia el vaso de agua. Oyó un golpe, el suelo se llenó de cristales y tuvo que agarrarse desesperadamente a la mesa para no caerse.

–¿Qué está pasando aquí? –tronó una voz furiosa, procedente de la puerta que comunicaba con el comedor de la cafetería.

«Estupendo», pensó, irónica. Cerró los ojos, intentando reunir la fortaleza necesaria para enfrentarse al airado patrón. El hombre llevaba de mal humor todo el día, sobre todo desde que la cocinera del turno de tarde no había aparecido, y había estado desahogando su ira sobre la plantilla sobrecargada de trabajo. Si no hubiera necesitado tanto el trabajo, se habría marchado hacía semanas.

Necesitaba urgentemente ahorrar para pagar a Declan todo lo que se había gastado en Ted. No había sido lo suficientemente orgullosa como para rechazar su oferta de ayuda a la hora de pagar las facturas. Pero sí que lo era para no quedarse obligada con él a largo plazo. No podía permitirse mantener vínculo alguno con Declan.

–He preguntado qué es lo que está pasando aquí –volvió a tronar el jefe.

Chloe se volvió lentamente y se obligó a erguirse, aunque le dolía todo el cuerpo.

–Solo es un vaso roto –bajó la mirada a los cristales que regaban el suelo y se dio cuenta de que era completamente incapaz de recogerlos. Un solo movimiento brusco y, o bien se desmayaría, o bien la acometería otra náusea–. Necesito marcharme –insistió–. Hace cinco horas que terminó mi turno y estoy exhausta –por no mencionar que había empezado el día bastante antes, preparando desayunos en las cocinas del hotel más importante de aquella zona.

–Deja de inventarte excusas –el hombre cruzó sus carnosos brazos sobre el pecho–. No tengo a nadie más que me cocine. Ponte a la tarea.

–Ya se lo he dicho, no puedo –se desató el delantal con dedos temblorosos–. Y además es peligroso que trabaje en estas condiciones.

–Si te vas ahora, estás despedida.

Vaciló, estremecida ante su amenaza. Necesitaba desesperadamente aquellos ingresos. El jefe se acercó y ella retrocedió automáticamente hasta una esquina. Su expresión le daba miedo. Conocía su mal carácter...

–Sigue así y te arrepentirás de haber nacido –una voz de tono letal restalló en el aire.

Chloe giró la cabeza hacia la puerta y se quedó paralizada de sorpresa. ¿Declan? ¿Estaría soñando despierta con él, al igual que lo hacía dormida?

–¿Quién diablos eres tú?

–Alguien que se encargará personalmente de que trate usted a la señorita Daniels como se merece –entró en la cocina. Dos pasos más y se plantó ante el hombretón, que empezó a despotricar, colérico–. ¡Basta! –interrumpió la sarta de insultos del tipo.

Chloe volvió a tambalearse y tuvo que apoyarse en algo. Vio cómo los ojos oscuros de Declan la recorrían de los pies a la cabeza, reparando en todo, desde su manchado pantalón negro y su camiseta ajustada hasta los sentimientos que no lograba ocultar: incredulidad, entusiasmo y puro agotamiento. La voz de Declan, más glacial que nunca, penetró entonces en su aturdido cerebro: palabras como «comportamiento amenazador», «explotación» y «denuncia en magistratura»...

Intentó decirse que podía librar sus propias batallas. Lo había hecho durante toda su vida, pero en ese momento...

—No te muevas.

Mirando hacia abajo, vio la oscura cabeza de Declan y sus manos de largos dedos recogiendo los cristales del vaso roto y tirándolos a un cubo. La escena se le antojaba irreal. Con que dejara caer una mano, podría tocar su cabello o sentir la dureza de sus anchos hombros bajo la palma. Ansiaba tanto hacerlo... parpadeó para contener las lágrimas, emocionada.

—No llores, Chloe —le dijo con voz ronca, alzando la mirada hacia ella.

—Yo nunca lloro —replicó. Era cierto. Tenía que serlo. Lo que pasaba era que estaba tan cansada...—. ¿Dónde está mi jefe? —de repente se dio cuenta de que estaban solos en la cocina.

—No te preocupes por él —se levantó ágilmente y terminó de tirar los cristales al cubo. Luego, antes de que ella pudiera adivinar sus intenciones, la levantó en brazos.

Ella protestó, como era de esperar. Pero una vez que la tuvo en sus brazos, Declan se dio cuenta de que ya no podría soltarla. Recordó su expresión de miedo cuando aquel matón la amenazó. De repente lo había visto todo rojo: había querido reducir a aquel tipo a pulpa. Solo el pensamiento de que Chloe tendría que testificar ante la policía le hizo mantener la cordura. En lugar de ello, amenazó al canalla con denunciarlo por todo tipo de cargos. Y, con ella en brazos, abandonó el local. Había perdido peso.

–¿No has estado comiendo bien?

–¿Qué?

Abrió el coche con el mando a distancia, la sentó y le abrochó el cinturón de seguridad.

–¿Qué estás haciendo? Yo no he dicho nada de irme contigo.

Pero sus movimientos eran lentos, mal coordinados. Declan se sentó al volante y arrancó. Diez minutos después aparcaba en el garaje de un selecto hotel, con Chloe sumida en un hosco silencio.

–¿Qué estamos haciendo aquí?

–Me alojo aquí –bajó y le abrió la puerta antes de que alguien de la plantilla lo hiciera por él. No bien le hubo quitado el cinturón de seguridad, volvió a levantarla en brazos.

–Bájame –siseó ella por lo bajo–. No puedo entrar así. Yo trabajo en este hotel.

Declan reprimió una sonrisa de satisfacción: le encantaba sentir el cuerpo de Chloe, aunque solo fuera por unos minutos. La apretó contra sí, como desafiando a cualquiera de los clientes o empleados del hotel a que intentara separarlos. No tardaron en llegar a su habitación. Entró, cerró con el pie y atravesó el lujoso salón que comunicaba con la espectacular terraza. Finalmente la depositó en un mullido sofá. Tenía la respiración acelerada, pero no por el ejercicio, sino por la emoción.

Estaba preciosa, incluso con aquella manchada ropa de trabajo y el agotamiento que se dibujaba en sus finos rasgos. Bruscamente se volvió y vertió agua helada de una jarra cercana en un vaso. Chloe se la bebió, pero volvió a sentir un tirón en el estómago mientras evitaba mirarlo.

–¿Qué quieres comer?

–No pienso quedarme.

Declan se dijo que se quedaría hasta que estuviera bien seguro de que no volvería nunca a aquella cafetería ni a ningún lugar parecido. Pero de repente se dio cuenta de que no tenía ningún derecho a exigirle nada.

–Pediré que traigan algo de comer.

–No quiero comer. Tengo náuseas.

–Hazme caso, Chloe. Parece como si fueras a desmayarte de un momento a otro. Pediré una selección de platos. Espero que encuentres alguno que tiente tu apetito –dijo, y se ocupó de llamar al servicio de habitaciones, esforzándose por sofocar la necesidad que sentía de abrazarla para no volver a separarse de ella nunca más.

Sus palabras todavía resonaban en sus oídos: «No quiero volver a verte». Terminada la llamada, se volvió nuevamente hacia ella. Seguía donde la había dejado, hecha un ovillo en un extremo del enorme sofá. Tenía los brazos demasiado delgados, la elegante línea de su cuello era demasiado frágil. La única parte redondeada de su cuerpo era el vientre que se acariciaba con una mano. De repente se dio cuenta. Se la quedó mirando como transfigurado.

Chloe bebió otro sorbo de agua: se sentía ya más fuerte. Por mucho que detestara admitirlo, el hecho de que Declan la hubiera transportado en su coche para llevarla luego a aquel selecto hotel... había sido como un placentero sueño. Pero los sueños no tenían nada que ver con la realidad.

–¿Qué estás haciendo aquí, Declan?

Vio que se acercaba. Demasiado. A su pesar, lo devoraba con los ojos. Cerró los dedos con fuerza sobre el vaso para no tocarlo.

–He venido a verte –su voz tenía una extraña inflexión–. ¿Cuánto hace que llevas sintiendo esas náuseas?

–He trabajado muchas horas en esa asfixiante cocina, eso es todo –bajó las piernas al suelo–. Solo necesito...

–Estás embarazada, ¿verdad?

¿Cómo había podido darse cuenta? Apenas se le notaba. Él no podía saberlo. Apenas lo estaba asimilando ella misma. No estaba preparada para hablar de ello con Declan.

–Es simple cansancio. Gracias por tu ayuda, pero es mejor que no volvamos a vernos –se obligó a pronunciar las palabras, aunque no estaba segura de que fueran ciertas. Se levantó.

–¿Para cuándo esperas nuestro bebé, Chloe? –la ronca intensidad de su voz la hizo estremecerse.

–¿Nuestro bebé? –ni en sus más disparatados sueños se había imaginado que lo llamaría así.

–Nuestro bebé –la miraba con los ojos brillantes.

–¿Qué te hace pensar que es tuyo? –levantó la barbilla.

–Lo es. Tuyo y mío, Chloe.

–Eso no lo sabes. No hace tanto tiempo que me acusaste de ser una mercenaria, una mujer que...

–No, Chloe –le puso un dedo sobre los labios.

–¿Por qué no? Usaste preservativos. No hay ninguna prueba de que sea hijo tuyo. Pude haberme acostado con otro hombre cuando te dejé.

–Lamento haber desconfiado de ti. Me arrepiento profundamente –suspiró–. Me dijiste que me querías. Estoy seguro de que tú nunca te habrías acostado con otro hombre, si era eso lo que sentías. Tú no concibes el sexo por diversión, ¿verdad, Chloe? Es una cuestión de sentimientos.

«Es una cuestión de amor», quiso decirle ella, pero las palabras se le atascaron en la garganta.

–Insisto en que podría ser de cualquiera. Incluso de...

–De Adrian no es.

–¿Cómo puedes estar tan seguro?

–Tú misma me lo dijiste, ¿recuerdas? –Declan esbozó una triste sonrisa.

–Pero no me creíste.

–Te creí. Escuché todo lo que dijiste y supe que era cierto. Me parapeté detrás de las acusaciones que te hice para no tener que enfrentarme a la verdad. Fui un cobarde –sacudió la cabeza–. Sufrí terriblemente cuando te dejé marchar aquel día, pero sabía que no tenía ningún derecho a pedirte que te quedases. Te había hecho demasiado daño. Y tenías razón: yo no era un hombre bueno para ti.

«¿Y ahora?». Tuvo la pregunta en la punta de la lengua. Pero carecía de sentido anhelar un final feliz de cuento. Aquello era la realidad.

–Siento lo que te dije aquel día. Sé que estabas muy dolido –el conocimiento de su dolor, así como del suyo propio, le permitían comprender su obstinada lealtad hacia su hermano, por muy grande que fuera el daño que esa lealtad le había hecho a ella.

–No. Tenías razón, Chloe. Tú te mereces un hombre que pueda darte todo lo que necesitas. Todo lo que yo no era en aquel momento. Solo puedo disculparme por la abominable manera en que te he tratado –se pasó una mano por el pelo. La infinita tristeza de su expresión la dejó conmovida–. Adrian hizo lo que hizo. Tú nunca tuviste parte alguna que ver en su dolor. Tú solo fuiste una víctima –tragó saliva–. Lo siento tanto...

La desolación de Declan solo confirmó lo que ella ya sabía: que era demasiado tarde para ambos. Un enorme abismo pareció abrirse entre ellos. Segundos después un golpe en la puerta reclamó su atención y Chloe se levantó para salir a la terraza. La tenue luz crepuscular la envolvía. A solas con sus pensamientos, la desolación hizo presa en su alma. Se alegraba de que Declan se hubiera enfrentado finalmente con su pasado, de que hubiera superado su dolor. Y, sin embargo, ella seguía ansiando...

Unos pasos a su espalda la hicieron volverse. Declan bajó la mirada a su vientre antes de clavarla en sus ojos. Sus labios se curvaron en una sonrisa que la dejó sin aliento.

—¿Por qué te sonríes?

—Vas a tener un hijo mío.

Sintió un cosquilleo en la piel al escuchar aquellas palabras. Estaba tan seguro... Aquella certidumbre la afectó, después de su anterior desconfianza. Antes solo había cambiado de opinión sobre ella cuando descubrió que le había devuelto la pulsera. Pero esa vez no tenía prueba alguna, a no ser que encargara un test de ADN.

—No hay ninguna prueba de que sea hijo tuyo —le espetó, como provocándolo para que dudara. Pero vio que su sonrisa no temblaba. Parpadeó extrañada—. ¿Cómo me has encontrado?

—Ted.

—¿Llamaste a mi padre adoptivo?

—No, lo vi. Quise conocerlo por lo mucho que significa para ti.

La intensidad de su mirada la ponía nerviosa. Se sentía como si estuviera al borde de un precipicio.

—Pagaste el tratamiento de Ted. Quiero que sepas que te devolveré hasta el último céntimo.

—No quiero tu dinero —hundió las manos en los bolsillos.

—Y yo no quiero deberte nada. Quiero ser libre.

Él volvió a sonreír, pero sin rastro alguno de diversión, solo un eco de sufrimiento.

—Si sientes una fracción de lo que yo siento, Chloe, nunca serás libre.

–¿Te convenció Ted de que vinieras a verme? –sabía que Ted estaba muy preocupado con sus largas jornadas de trabajo, ajeno a que su verdadero problema tenía que ver con Declan.

–No hablamos de ti –ante su mirada de incredulidad, se encogió de hombros–. No después de que le explicara quién era yo, al menos. Luego, simplemente... charlamos. Para empezar, de deportes, y luego de su trabajo en los ferrocarriles.

–¿Ted y tú estuvisteis hablando de trenes? –inquirió Chloe con tono sorprendido, apoyada en la barandilla.

–No solo de eso. También de pesca, de política, de viajes...

–¿Por qué estás aquí?

–Sé que no querías verme, Chloe. Es por eso por lo que me mantuve a distancia, pero necesitaba... –se interrumpió y bajó la mirada a los documentos que acababa de sacarse de un bolsillo de la chaqueta–. Tenía que entregarte esto personalmente.

Chloe vaciló en un principio, pero se obligó a tomar los papeles.

–¿Qué es? –preguntó mientras los desdoblaba.

–Las escrituras de Carinya. Quiero que te la quedes tú.

–¿Qué?

No podía ser. Sin embargo, las palabras de la primera página empezaron a cobrar sentido. Se tambaleó levemente y tuvo que apoyarse en la barandilla.

–No puedes hacer eso. Carinya es el hogar de tu familia. ¿No la edificó tu tatarabuelo?

–Yo ya no tengo familia, Chloe –la triste mueca que esbozó le desgarró el corazón. Volviéndose, apoyó ambas manos en la barandilla–. Quiero que la tengas tú. Sé que adorabas Carinya y será un lugar perfecto para Ted una vez que se encuentre en condiciones de trasladarse –suspiró, con la mirada fija en el valle que se extendía ante ellos–. Yo no puedo vivir allí, Chloe. Cada vez que entro en alguna de las habitaciones, huelo tu dulce fragancia. Te oigo tararear por lo bajo. Quiero que tú te quedes con la casa –se volvió para mirarla. Le brillaban los ojos–. Sin ti no es lo mismo. Incluso abandoné el apartamento de Sídney. Estuve viviendo en un hotel de la ciudad antes de venir aquí.

Chloe tragó saliva ante la emoción que veía en los ojos de Declan. Le estaba dejando entrar, mostrándole los sentimientos que siempre mantenía tan ocultos. Era una sensación gloriosa y aterradora a la vez.

–No puedo aceptar...

–Puedes, Chloe. Me equivoqué terriblemente contigo y convertí tu vida en un infierno. Era más fácil culparte a ti que cargar con la culpa de...

–Tú tampoco eres culpable –sin pensar, le puso una mano en el brazo y sintió la tensión de sus músculos bajo sus dedos.

Iba a romper el contacto cuando él le cubrió la mano con la suya. Un puro fuego ardía en sus ojos, inflamándola a su vez.

–Sigo trabajando en ello –sonrió, triste–. Pero no estoy hablando de Adrian. Yo te hice daño, Chloe –le apretó la mano–. Intenté mantenerme alejado todo el tiempo que pude. Me recordaba a mí mismo que tú no querías volver a verme más. Si ahora quieres que me marche, me iré y no volveré a molestarte. Pero tenía otra razón para venir aquí.

–¿Sí? –Chloe apenas podía respirar de la opresión que sentía en el pecho

–Desde que te fuiste, caí en la desesperación. Sabía que no podía seguirte, por mucho que quisiera. Tenías derecho a construirte una nueva vida sin mí. Pero yo no podía renunciar tan fácilmente, Chloe. ¡Simplemente no

puedo! –exclamó con voz emocionada–. ¿Sabías que te
marchaste con tanta prisa que te dejaste algunas cosas?
Había discos tuyos en el equipo de música y libros en
las estanterías. Desde que te marchaste, no he dejado de
escucharlos y leerlos. ¡Hasta me he convertido en un fan
de Jane Austen y, que Dios me perdone, de la música
hip hop!

–¿Declan? –le tembló la voz.

–Ah, corazón –le acarició una mejilla con infinita
ternura–. Lo siento. Te he hecho llorar cuando lo único
que quiero es cuidar de ti.

–Ya sabes que no necesito que me cuiden –vio que
sus labios se curvaban en una entrañable sonrisa.

–Te quiero, Chloe. Ojalá pudiera demostrártelo. Las
palabras no bastan –apretó los labios.

–Ya me lo has demostrado –susurró, sorprendida ella
misma por el descubrimiento–. Sabías que el bebé era
tuyo desde el principio, pese a lo que yo te dije. Creíste
en mí.

Él le colocó tiernamente un mechón de pelo detrás de
la oreja, prolongando la caricia. Chloe se quedó inmóvil,
fascinada por lo que veía en sus ojos y sentía ella misma.

–Te quiero, Chloe. Por muchas razones. Porque me
plantaste cara cuando me lo merecía. Nunca te dejaste
avasallar por mí –le besó el dorso de la mano–. Porque
siempre me haces sonreír, incluso cuando más triste estoy –le dio otro beso, esa vez en la muñeca–. Te quiero
porque eres honesta y sincera. Porque tuviste la generosidad de corazón de perdonar a mi hermano, como
ahora espero que me perdones a mí. Te quiero, Chloe.
No tengo derecho a esperar que tú me ames, pero tenía
que decírtelo. He sido un completo hijo de...

–¡No! –lo acalló con un dedo. Por fin recuperó la
voz–: Te amo, Declan. Todavía. Y siempre –se sonrió
al ver la cara de estupefacción que puso–. Amo tu pa-

sión. Tu sinceridad y tu determinación de obrar siempre bien. Amo tu lealtad. Amo que seas un hombre de honor.

–No puedo creerlo –la acunó en sus brazos–. Tú haces que me sienta invencible, incluso con esto –se señaló la cicatriz.

–Eso es parte de ti, Declan. Además, te da un cierto aire de pirata.

–No te merezco, Chloe. Tendrías todo el derecho del mundo a...

Chloe lo acalló de la manera más eficaz que se le ocurrió. Le echó la cabeza hacia atrás y lo besó en la boca, hasta que él reaccionó con otro beso igualmente arrebatador que la dejó mareada y emocionada.

–El pasado ha quedado atrás, Declan –susurró–. Concentrémonos en el futuro.

–Dedicaré nuestro futuro a demostrarte cada día lo mucho que te amo.

Epílogo

CHLOE sonrió cuando dobló la esquina de la veranda y contempló el partido de fútbol que se había organizado en el jardín. El perro de Ted ladraba excitado. Amy, con la voluntariosa determinación de sus dos años de edad, trotaba detrás de la pelota hacia la portería que había construido Ted con cubos de plástico. Cualquiera podía ver que pensaba dejar que su nieta le metiera un gol.

Amy chutó con tanta pasión que se cayó al suelo. Pero no hubo lágrimas, solo un chillido de deleite cuando la pelota pasó al lado de su abuelo y entró en la portería.

–¡Abuelo, abuelo! ¡Lo conseguí!

–Ya lo he visto, corazón –Ted se agachó para levantarla. La niña se abrazó a sus piernas.

Chloe contempló enternecida la escena. Era tan afortunada de tenerlos a los dos...

–Hacen buena pareja, ¿verdad? –pronunció una voz vibrante a su espalda.

Se apoyó contra Declan, dejándose abrazar.

–Y que lo digas.

Declan deslizó las manos por su vientre de embarazada, acariciándolo con una ternura que siempre lograba emocionarla.

–Tenemos mucha suerte, amor mío –frotó la nariz contra su cuello–. Debo de ser el hombre más afortunado del mundo.

Chloe se volvió para abrazarlo. Contempló su rostro adorado y leyó el amor en sus ojos.

–Y yo la mujer más afortunada.

–Te has pintado los labios –gruñó él, burlón.

–¿Esperas que vaya a la gala de la fundación y no me ponga guapa?

La fundación, que llevaba el nombre de Adrian, proporcionaba ayuda a personas con trastornos mentales. Su objetivo era cubrir los vacíos dejados por otros servicios, más que organizar eventos ostentosos. La excepción era la gala benéfica anual.

–Pudiste haber esperado –se inclinó hacia ella–. Pero no importa. Ya te pondrás guapa para mí.

Le acariciaba el rostro con su aliento. Chloe acababa de cerrar los ojos cuando una diminuta figura se abrazó a sus piernas.

–Mami, papi, he marcado un gol. ¿Lo habéis visto?

–Lo hemos visto, cariño –sonrió Chloe mientras su marido se agachaba para levantar a su hija.

La niña se abrazó a él, plantando sus sucias manitas en su traje de etiqueta.

–Creo que vamos a llegar algo tarde a la gala. Tendrás que quitarte ese traje.

La mirada que le lanzó Declan era una pura invitación.

–Promesas, promesas, señora Carstairs. Estoy deseando que me ayudes a quitármelo.

Bianca

Había desenmascarado al enemigo...

Valentina D'Angeli estaba embarazada, y el padre era el hombre con el que había pasado una única noche de desenfreno tras un baile de máscaras. Sin embargo, no debería haber mirado debajo de aquel antifaz mientras él dormía. El desconocido con el que se había acostado había resultado ser Niccolo Gavretti, el mayor enemigo de su hermano.

Para Niccolo solo había una solución posible al problema en el que se encontraban: ella debía casarse con él, aunque no quisiera. Y, si tenía que llevársela a la cama para conseguirlo, sin duda disfrutaría mucho de ello.

Revelaciones en la noche

Lynn Raye Harris

Acepte 2 de nuestras mejores novelas de amor GRATIS

¡Y reciba un regalo sorpresa!

Oferta especial de tiempo limitado

Rellene el cupón y envíelo a
Harlequin Reader Service®
3010 Walden Ave.
P.O. Box 1867
Buffalo, N.Y. 14240-1867

¡Si! Por favor, envíenme 2 novelas de amor de Harlequin (1 Bianca® y 1 Deseo®) gratis, más el regalo sorpresa. Luego remítanme 4 novelas nuevas todos los meses, las cuales recibiré mucho antes de que aparezcan en librerías, y factúrenme al bajo precio de $3,24 cada una, más $0,25 por envío e impuesto de ventas, si corresponde*. Este es el precio total, y es un ahorro de casi el 20% sobre el precio de portada. !Una oferta excelente! Entiendo que el hecho de aceptar estos libros y el regalo no me obliga en forma alguna a la compra de libros adicionales. Y también que puedo devolver cualquier envío y cancelar en cualquier momento. Aún si decido no comprar ningún otro libro de Harlequin, los 2 libros gratis y el regalo sorpresa son míos para siempre.

416 LBN DU7N

Nombre y apellido	(Por favor, letra de molde)	
Dirección	Apartamento No.	
Ciudad	Estado	Zona postal

Esta oferta se limita a un pedido por hogar y no está disponible para los subscriptores actuales de Deseo® y Bianca®.
*Los términos y precios quedan sujetos a cambios sin aviso previo.
Impuestos de ventas aplican en N.Y.

SPN-03

NO SOLO POR EL BEBÉ

OLIVIA GATES

Naomi Sinclair se había enamorado locamente de Andreas Sarantos, pero su matrimonio con el magnate griego, que era incapaz de amar, le había dejado profundas cicatrices en el alma. Cuando ya no esperaba volver a verlo, Andreas se presentó para reclamar a la sobrina de diez meses de Naomi, que acababa de quedarse huérfana. Andreas dejó que Naomi lo abandonara en una ocasión, pero con la adopción de la hija de su mejor amigo confiaba en lograr que su reacia exmujer volviera a su cama.

Apareció reclamando a la niña... y a su exmujer

¡YA EN TU PUNTO DE VENTA!

Bianca.

**Si no quería perderlo todo,
tendría que acceder a convertirse en su esposa**

Savannah había regresado a Grecia con la intención de hacer las paces con la familia Kiriakis, pero Leiandros Kiriakis tenía otros planes. Él seguía creyendo todas aquellas mentiras sobre ella y estaba empeñado en hacerla pagar por el pasado.

Savannah no estaba muy convencida de compartir casa con Leiandros, le parecía demasiado peligroso, dada la tensión sexual que había entre ellos. Sin embargo, él estaba encantado de tenerla justo donde la quería... porque ahora podría darle un ultimátum.

La culpa de la traición

Lucy Monroe